JN065591

これって経費になりますか？

税理士
福島宏和 著

個人事業者・フリーランスが知っておきたい領収書の話

税務経理協会

はじめに　〜税理士はみんな同じ？〜

　はじめまして。フリーランスや個人事業者の確定申告を専門にしている，税理士の福島宏和です。まずは，この書籍を手にとっていただきまして，ありがとうございます。

　この本に関心を少しでも持ったということは，フリーランス系の個人事業の確定申告について何か困っていることがあるのかと思います。例えば，次のようなことを疑問に思いませんか？

　・このレシートは経費にできるか？
　・経費にできる，できないのボーダーラインは何か？
　・税務署に初めて書類を提出するべきときはいつなのか？
　・事業をはじめてまもないときは白色申告でもよいのか？
　・領収書やレシートをもらうときに注意することはあるのか？
　・正しい節税とはどういうものなのか？
　・個人事業と法人は何が違うのか？
　・消費税はいつから納めるのか？
　・健康保険料や税金の負担を減らすために法人を作るのは得策か？

　私は自分の事務所を開設した頃から，フリーランスや個人事業者の確定申告を専門にしてきました。世の中に税理士はたくさんいますが，多くは法人の確定申告を中心としており，個人事業については片手間で行っています。個人事業の中でも医師

や弁護士のような業種，あるいは昔ながらの飲食店などを中心にしている税理士が多く，私のようなスタイルで活動する税理士は非常に少ないです。

2010年にブログで個人事業者の確定申告について書き始めてから，多くのフリーランスの方から，特に基本的な内容の質問を多数受けてきました。また，フリーランスの確定申告書の作成も累計1,300件以上行ってきました。

本書では，これまで私が多数受けてきた相談の中から，①領収書・レシートを切り口とした経費に関する疑問，②確定申告の全体で損をしないために（得するために）知っておきたいこと，③開業，消費税の納税義務，法人化という節目に関する考え方を書きました。

また，確定申告・税金というテーマの堅苦しさを取り除くために，全編を通じて，フリーランスの方が税理士に相談している場面，税理士事務所でスタッフと所長が会話をしている場面を中心に，実際に話をしているような感覚となるようにしました。

第1部（第1章～第5章）では，領収書と確定申告の全体像と具体例について解説しています。第1章では，なぜ領収書が確定申告において重要なのかを，確定申告の仕組みを踏まえて説明しました。第2章では経費と領収書の考え方の基本について，第3章から第5章は，実際に事業を行っているときや，売上や経費の集計をするときに出てくる疑問に答えています。

第2部（第6章～第9章）は，事業の節目で考えることを解説しています。第6章は開業について，第7章は主に年末の節

税対策，第8章は消費税，第9章は法人化です。それぞれの場面に遭遇したフリーランスの方から受けてきた相談，よくある勘違いを書きました。

　また，本書は原則として入門者向けですが，ある程度知識のある方が読む場合に備えて，仕訳の例も紹介しています。仕訳を知らない方は，その部分は読み飛ばしても問題ありません。なお，第8章の消費税の話についても，ある程度事業を続けている方向けの内容を含んでいますので，最初はわからない部分を読み飛ばして，必要になったときに読み返していただければ幸いです。

　この本を通じて確定申告の悩みを解決し，本業に集中できることを願っています。

CONTENTS

第2部　個人事業者・フリーランスがおさえておきたい税金の話

〈登場人物紹介〉

福島税理士

経験豊富な税理士。若い職員を
あたたかく見守る。

くるみ

個人事業者として独立1年目の、
感受性豊かなフリーライター。

税理士事務所の職員

ルル

元気でまっすぐな若手職員。

ソウマ

理論的な思考が好きな若手職員。

第1部

領収書と確定申告

第1章

確定申告の全体像

収入	内　　訳
印紙	税抜金額
	消費税等

　　第1部のメインは領収書に関するお話です。では，領収書についてたくさんのお話をする必要があるのはなぜでしょう？　第1章では「なぜ領収書が大事なのか？」という疑問に答えるために，少し遠回りになりますが，確定申告の全体像について簡単に解説します。

フリーランスのくるみさん，税理士の福島先生に
相談に行く。

▶**くるみ**　先生，こんにちは。

▶**福島**　こんにちは，くるみさん。今日はどんな相談ですか？

▶**くるみ**　フリーランスで開業して４か月，どうにか事業も軌道に乗ってきて，確定申告についてもマジメに考えないと，って思ってるんです。

▶**福島**　それは大事なことですね。

▶**くるみ**　最近，先輩のフリーランスの人に「とにかく領収書はなんでもかんでもとっておけ」と言われたんです。

▶**福島**　それは大事なことですね。

▶**くるみ**　でも，日用品とか遊びに行った領収書まで取っておくのは「本当に必要なのかな？」って思いはじめまして…。

▶**福島**　それは大事…。

▶**くるみ**　ほかのリアクションはないんですか！！

▶**福島**　では，そろそろマジメに話しましょう。

▶**くるみ**　最初からマジメに話してくださいよ。

▶**福島**　では，少し遠回りして，確定申告全体のお話をしましょうか。

▶**くるみ**　あんまり難しい話はイヤですよ。

▶**福島**　ライターとしての取材だと思って聞いてください。最後には領収書の大切さがわかりますから。

確定申告（所得税計算）７つのステップ

　一般的に確定申告と言われているものは，所得税の計算です。所得税の計算には次の７つのステップがあります。

(1) 各種所得の計算

まず「所得とはなにか？」ということからお話します。単純に「所得＝利益」と考えて問題ありません。

所得（＝利益）には10種類あります。いくつか代表的な所得を紹介します。

> 事業所得：フリーランスなどの個人事業での所得
> 不動産所得：不動産賃貸の所得
> 給与所得：いわゆる給与による所得
> 譲渡所得：土地や建物の譲渡（売却），株式の売買などによる所得
> 雑所得：FXなど先物取引による所得，年金受取による所得、他の所得に入らない所得

本書では，事業所得を中心に話を進めていきます。

(2) 所得金額の合算

上記で計算した各種所得を合算します。不動産所得と事業所得については，赤字になった場合は，原則として他の所得と相殺できます。

(3) 所得控除の計算

医療費をたくさん支払った場合，社会保険料（健康保険や年金など）を支払った場合，扶養する家族がいる場合，生命保険料を払った場合などに受けられる控除です。

ちなみに，控除というのは「ゼロまでマイナスする」という意味です。

例えば，50－70＝－20となりますが，50から70を控除した結果はゼロです。

(4) 税額の計算

(2)－(3)の金額に対して，5～45％の税率をかけて，所得税を計算します。

ただし，単純なかけ算にはならず，次の表にしたがって計算します。

[所得税の速算表]

(2)－(3)の金額	税率	控除額
195万円以下	5％	0円
195万円を超え　330万円以下	10％	97,500円
330万円を超え　695万円以下	20％	427,500円
695万円を超え　900万円以下	23％	636,000円
900万円を超え　1,800万円以下	33％	1,536,000円
1,800万円を超え　4,000万円以下	40％	2,796,000円
4,000万円超	45％	4,796,000円

例えば，(2)－(3)の金額が700万円の場合は，次のように計算します。

700万円 × 23％ － 636,000円 ＝ 974,000円

ちなみに，所得税と別で納税することとなる住民税（市県民税，都民税など，お住まいの地方自治体に支払う税金）は，(2)－(3)の金額に一律10％をかけます。

⑸ 税額控除の計算

代表的なものは住宅ローン控除です。

その他，一部の寄附金は税額控除となります。

⑹ 復興特別所得税を加算

⑷−⑸の金額に2.1％を加算します。

⑺ 源泉所得税・予定納税（前払いしていた税金）の精算

⑹−⑺が実際に納める税金となります。

⑹−⑺がマイナスになると，税金は還付されます。

ここまでの話を図にまとめると，次のようになります。

［確定申告（所得税計算）7つのステップ］

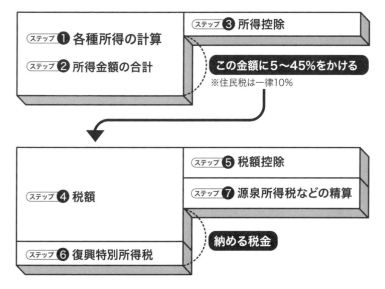

▶**くるみ**　領収書のりょの字もないじゃないですか！！

▶**福島**　まあまあ，ここから話は佳境に入りますから。

▶**くるみ**　本当ですか？　ブツブツ…。

▶**福島**　次は，(1)各種所得の計算のうち，事業所得を詳しく見ていきましょう。

▶**くるみ**　はい。

▶**福島**　これは単純明快です。次の表を見てください。

[事業所得の仕組み]

▶**くるみ**　確かに，確定申告７つのステップよりはシンプルですね。

▶**福島**　さて，事業所得が減ると，税金はどうなりますか？

▶**くるみ**　所得の合計から所得控除をして税率をかけるから…。事業所得が減ると税金は安くなります。

▶**福島**　その通り。では，事業所得を減らすには，どうしたらよいですか？

▶**くるみ**　売上を減らすか経費を増やすか，です。

▶**福島**　そうです！　その中で経費を増やすことに注目すると？

▶**くるみ**　えーと，経費の証拠となる領収書が多い方がいいですね。

▶**福島**　すばらしい！！！　もうあなたは立派な確定申告マスター！！

▶**くるみ**　おだてすぎですよ。領収書が多ければいいというのはわかりましたが，何でもかんでもOKとはいかないですよね。

▶**福島**　そうです。コンビニに置いてある不要レシートをガサッともらってくれば，経費の金額を増やせますが，もちろんそんな方法はNGです。

▶**くるみ**　良い方法と悪い方法の違いはなんですか？

▶**福島**　すばらしい質問です！　それを明らかにしていくのがこの本の第1部なのです！！

▶**くるみ**　それでは，第2章へ続く〜〜。あれ，なんか先生にノセられてる気が…。

第2章

経費と領収書の超キホン

	内　　訳	
収入印紙	税抜金額	
	消費税等	

　第1章で確定申告全体の中での領収書の位置づけを解説しました。ここでは、領収書の前提となる経費の解説と、領収書の形式的な部分における注意点を解説します。

経費とは何ですか？

フリーランスのくるみさん，再び税理士の福島先生の事務所へ相談に行く。

▶**くるみ**　領収書の役割は，経費の証明ですよね？

▶**福島**　そうです。「確かにその経費を支払っている」ということの客観的な証明です

▶**くるみ**　ということは，経費が何かをわかっていないと，意味がないですよね？

▶**福島**　その通りですっ！！　経費にならない支払の領収書をどれだけ集めても，税金は１円も安くなりません。

▶**くるみ**　では，経費とは何ですか？

▶**福島**　すばらしい質問，なのですが，これに答えるのが非常に難しいんです…。

▶**くるみ**　あら，急に歯切れが悪くなった。

▶**福島**　経費について，法律上は次のように書かれています。

所得税法　第三十七条　必要経費

その年分の不動産所得の金額，事業所得の金額又は雑所得の金額（事業所得の金額及び雑所得の金額のうち山林の伐採又は譲渡に係るもの並びに雑所得の金額のうち第35条第３項（公的年金等の定義）に規定する公的年金等に係るものを除く。）の計算上必要経費に算入すべき金額は，別段

の定めがあるものを除き，これらの所得の総収入金額に係る売上原価その他当該総収入金額を得るため直接に要した費用の額及びその年における販売費，一般管理費その他これらの所得を生ずべき業務について生じた費用（償却費以外の費用でその年において債務の確定しないものを除く。）の額とする。

▶**くるみ**　読者のみなさん，この法律の部分，絶対読み飛ばしてますよ。

▶**福島**　ですよね。では，普通の言葉で書きます。ここに置いてあるお菓子でも食べながら読んでください。

▶**くるみ**　はい。

必要経費とは，
① **仕入や材料など，売上に直接対応する支出**
② **利益を得るため・仕事に関係する支出**

▶**くるみ**　おおっ，普通の日本語になった！

▶**福島**　でしょでしょ。

▶**くるみ**　①は，例えば物を売るお店の，商品の仕入ということでパッとイメージできますが，②のほうがまだボヤッとしてますね。

▶**福島**　そうですね。例えば，仕事のための備品，文房具，資料代，交通費，研修費などです。

▶**くるみ**　じゃあ，ここにあるお菓子も経費として買ってきたのですか？

▶**福島**　さあ，どっちでしょう？

▶くるみ　うーん，きっと経費になるから買ってきたんですよね！

▶福島　あ，私がケチみたいな言い方しましたね。本当は次のように考えます。

> 　お菓子があることによって，会話がはずんだり，リラックスした雰囲気を作ったりできる。この効果として相談・会議が円滑に進み，お客様によりよい結果を得てもらい，満足度があがる。言い換えると，このような効果を見込むための経費としてお菓子を買っている。

　このように「仕事に関係ある」と説明できる支出は経費といえます。具体例は第3章で詳しく解説します。

▶くるみ　なるほど。経費に関する考え方はわかりました。でも私にはもう1つ疑問があります。

▶福島　なんですか？

▶くるみ　先生はケチかどうか…。

▶福島　ああ，もういい！！　冷蔵庫にある私物の野菜ジュースあげますから！！

▶くるみ　ありがとうございま〜す。

何も書かれていない領収書

税理士の福島先生の事務所。若手スタッフのルルとソウマが福島先生と話をしています。

▶ **ルル**　先生，この領収書なんですけど…。

▶ **福島**　どれどれ…。

領 収 書	
御中	No.
	発行日

金額

但

上記正に領収いたしました。

内　訳
税抜金額
消費税等

ハマちゃんラーメン
〒330-0000
さいたま市中央区●●
さいたま中央第1ビル1階
TEL：048-123-4567
FAX：048-123-4567

▶ **福島**　これはずいぶんな領収書だね〜。

▶ **ルル**　ですよね。何も書いてないんじゃ入力できません！

▶ **福島**　これはどこの顧問先ですか？

▶ **ルル**　音楽教室の高木さんです。

▶ **福島**　じゃあ高木さんに何があったかを聞いてみてください。

▶ **ルル**　はいっ！！

▶**高木**　あ，税理士事務所のルルちゃん！

▶**ルル**　いつもお世話になります。ところで，先ほどメールで送った領収書の件なんですけど…。

▶**高木**　あれね！ごめん，うっかり送っちゃった。父が「たまには一緒に食事でも」って言うからついていったら，千葉からさいたまのラーメン屋さんまで連れて行かれたのよ。

▶**ルル**　相変わらずお父さんと仲がいいですね。

▶**高木**　これも親孝行ってもんよ！　だからその領収書は関係ないですよね。

▶**ルル**　はい，お父さんとのお食事では経費にならないですね。

▶**高木**　ですよね～。それなのにお父さんったら，「お前，事業やってるんだったら領収書もらっとけ。経費になるんだろ！」って勝手に領収書もらってあたしに押し付けてくるんだから。

▶**ルル**　娘思いのお父さんじゃないですか。

▶**高木**　そういえば美しいんだけどね～。というわけで，悪いけどその領収書は処分してもらっていい？

▶**ルル**　はい，こちらで処分しておきます。

▶**ルル**　というわけで，仕事とは関係ない領収書でした。

▶**福島**　なるほど。それじゃさすがに経費にしようがないですね。

▶**ソウマ**　先生，質問です！

▶**福島**　はい，なんでしょう？

▶**ソウマ**　もし，その領収書が，僕の担当してるライターの広瀬さんから送られてきたらどうなりますか？

▶**福島**　良い質問だね。その場合は広瀬さんがどういう状況で

ラーメンを食べたかによります。

▶**ソウマ**　たとえば，グルメレポートの記事を書くとして，取材のためにラーメンを食べに行った場合なら，どうでしょう。

▶**福島**　それならバッチリ経費ですね。

▶**ルル**　でも，領収書が空白だったら，問題あるんじゃないですか？

▶**福島**　そうだね。何も書いてない領収書じゃ，入力したくてもできないですね。

▶**ソウマ**　だから，領収書をもらうときはきちんと書いてもらわないといけませんね。

▶**福島**　ソウマくんの言うことは正しいよ。でも現実は，そうもいかないこともあるんだ。

▶**ソウマ**　はあ…。

▶**福島**　今回のハマちゃんラーメンでも，きっと「領収書⁉面倒だな〜，悪いけど紙だけ渡すから書いといて！」とか言って渡したんじゃないかな。

▶**ソウマ**　少ない人数でまわしているラーメン屋さんだったら，そうなるかもしれませんね。

▶**ルル**　しかも，お父さんがわざわざ千葉からさいたままで連れて行くくらいのラーメン屋さんなんだから，行列ができてたのかもしれないですね。

▶**福島**　そうだね〜。

▶**ソウマ**　このようなケースでは，どうしたらよいのでしょうか？

▶**福島**　取材などで経費になることを前提とするなら，次のような方法があります。

```
                領 収 書
           御中              No.
                            発行日

       金額

       但

       上記正に領収いたしました。

                              ハマちゃんラーメン
   ┌──┐   内   訳 _____   〒330-0000
   │  │   税抜金額 _____   さいたま市中央区●●
   │  │   消費税等 _____   さいたま中央第1ビル1階
   └──┘                     TEL：048-123-4567
                            FAX：048-123-4567

手書きで
記入！ ─→    (10/15  1000円  店舗で記載忘れ)
```

▶ ルル　余白に手書きをするのですか？

▶ 福島　そうです。お店の人が書いてくれないのなら，自分で余白にメモしておくのです。

▶ ソウマ　でも，自分で書くならいくらでもごまかせちゃいませんか？

▶ 福島　そう言っちゃったらそれまでですね。ここは良心に任せるしかないのですが，お店のメニュー，そのお店での相場感などから，明らかなウソはバレますからね。

▶ ルル　領収書がもらえなかった場合も，同じようにメモをしておけばよいですか？

▶ 福島　そうですね。特に飲食店など，レシートや領収書をもらいづらいケースもあるかと思いますので，その場合には，次の4点をメモしておけばよいです。

　1　日付
　2　金額
　3　相手先（お店の名前）

4　内容（飲食代など）

▶**ソウマ**　領収書をもらい忘れても経費にできる道は残っているのですね！　顧問先にもこの情報は伝えましょう！

▶**福島**　これはどこの顧問先にも初めて会ったときに言ってありますので，時々忘れるのを防ぐために伝えておくとよいですね。

▶**ルル・ソウマ**　はい！

▶**福島**　また，話がそれてしまいますが，普通にお金を払ってレシートがもらえるお店で，わざわざ領収書に変えてもらう必要はないですね。

▶**ルル**　確かに！　かえって内容がわかりづらくなりますね。

▶**ソウマ**　よかれと思ってとか，義務だと思って，全部領収書にする人，時々いますね。

▶**福島**　会社員時代の経費精算の社内ルールで，レシートNGな会社にいた人なのかもしれません。

▶**ソウマ**　そういう会社があるのですか？

▶**福島**　たまにあるらしいです。

▶**ルル**　確定申告の書類としては，レシートの方が内容がハッキリわかりますし，お店での手間もかからないから便利ですね！

領収書の収入印紙

▶ **ルル**　ねえ，ソウマくん。

▶ **ソウマ**　なんだい？

▶ **ルル**　確認したいことがあるんだけど。

▶ **ソウマ**　僕もちょうど確認したいことがあったんだ。

▶ **ルル**　じゃあ私からいい？

▶ **ソウマ**　どうぞ。

▶ **ルル**　領収書に貼る収入印紙って５万円以上よね。

▶ **ソウマ**　……。

▶ **ルル**　どうしたの？

▶ **ソウマ**　いや，その，同じこと確認したかったんだけど…。

▶ **ルル**　えええええーーー！？　なにその無駄なシンクロ！！！

▶ **ソウマ**　翻訳をやってる野中さんからメールで聞かれてるんだよ。

▶ **ルル**　私もネット通販業の浅倉さんから。

▶ **ソウマ**　こういう領収書（領収書①）を発行するときに印紙は必要なのか？　って話なんだ。

▶ **ルル**　私の方は，こういう領収書（領収書②）を発行するときだって。

▶ **ソウマ**　ちゃんと調べるか…。

▶ **ルル**　そうね…。

▶ **ソウマ**　この２つは微妙に似てるけど違うんだな。

▶ **ルル**　ほんとだ。同じ５万円でも，消費税抜にすると違う

[領収書①]

```
                    領  収  書
                        御中            No.
_____                              発行日 20XX年2月3日

    金額    ¥99,000

    但  翻訳料として

    上記正に領収いたしました。

                                        野中翻訳オフィス
  印 収     内    訳                     〒123-0045
            税抜金額   90,000-           東京都●●区●●
  紙 入     消費税等    9,000-
                                        TEL：03-3456-7890
```

[領収書②]

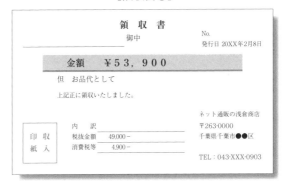

```
                    領  収  書
                        御中            No.
_____                              発行日 20XX年2月8日

    金額    ¥53,900

    但  お品代として

    上記正に領収いたしました。

                                        ネット通販の浅倉商店
  印 収     内    訳                     〒263-0000
            税抜金額   49,000-           千葉県千葉市●●区
  紙 入     消費税等    4,900-
                                        TEL：043-XXX-0903
```

のね。

▶**ソウマ**　浅倉さんの方（領収書②）は**消費税抜だと５万円未満になることが**領収書からわかるから，**印紙はいらない**んだな。

▶**ルル**　野中さんの方（領収書①）は，**消費税抜で５万円以上だから，印紙は必要**ね。

---------------------------------- それから数日後 ----------------------------------

▶**福島**　ゆうべの交流会で，野中さん・浅倉さんに会ったんだけど，最近収入印紙の話をしたかい？

▶ルル　はい，しました！

▶ソウマ　質問のメールが来ていたから回答しました。

▶福島　2人とも状況を確認したかい？

▶ルル・ソウマ　え？

▶福島　いけませんねぇ。質問の文章（メール）だけ見て回答すると思わぬポイントを見逃してしまうのですよ。

▶ルル・ソウマ　はぁ…。

▶福島　まず浅倉さんの方から。ソウマくん，浅倉さんの領収書はどういう場面で発行されますか？

▶ソウマ　浅倉さんは通販業ですから，物販の領収書として発行するかと思います。

▶福島　そうだね。じゃあ浅倉さんのお客さんの支払方法は確認しましたか？

▶ソウマ　いえ，そこまでは確認しませんでした。

▶福島　そこがポイントなんだよ。

▶ソウマ　？？？

▶福島　領収書に収入印紙を貼る理由は「金銭のやりとりの事実を証明する書面の交付」なのです。

▶ソウマ　はい。

▶福島　浅倉さんのところは原則としてクレジットカードでの決済でしたよね？

▶ソウマ　そうですね。

▶福島　実は，クレジット決済はお金が直接お客さんから浅倉さんに動かないので，金銭のやりとりにならないんです。

▶ソウマ　では，金額以前の問題として，印紙はいらないのですか？

▶**福島　クレジット決済と明記した領収書なら，収入印紙は不**

要ですよ。

▶**ソウマ**　うわぁぁぁぁ，そこまで考えていませんでした…。

▶**ルル**　野中さんの件も何かまずかったですか？

▶**福島**　こちらは，もう一歩踏み込んだ提案ができたらよかったですね。

▶**ルル**　どんな提案ですか？

▶**福島**　1つは領収書の発行方法です。

▶**ルル**　発行方法！？

▶**福島**　収入印紙を貼るものは何ですか？

▶**ルル**　貼るもの？　領収書ですよね。

▶**福島**　確かに領収書です。ではその領収書をPDFや画像など（以下PDFに統一）にしてメール添付したらどうなりますか？

▶**ルル**　あれ？　PDFだったら印紙を貼ることはできないですね。まさか，**PDFでの領収書なら印紙がいらない**とか？

▶**福島**　そのとおり！　文書を発行していない，ということになります。

▶**ルル**　ああああああ。（頭をかかえる）

▶**福島**　さらに一歩踏み込むこともできますよ。

▶**ルル**　これ以上聞くとショックが増える…。

▶**ソウマ**　まあまあ，この際全部聞いておこうよ。

▶**ルル**　そうね。

▶**福島**　野中さんのところは，振込で支払われることが多いですよね。

▶**ルル**　はい，請求書を発行して振込してもらっています。

▶**福島**　そこで，請求書にはじめから領収書を発行しないことを書いておけばよいのです。

▶**ソウマ** そんなのありなんですか？

▶**福島** 例えば「請求書と金融機関の振込明細をもって領収書に代えさせていただきます」といったことを請求書に書けばよいのです。

▶**ルル** その記載があれば，領収書は発行しなくてよいのですか？

▶**福島** 厳密には義務はあるんだけど，書いておくことで領収書の請求は減るでしょう。

▶**ルル** 確かに！

▶**ソウマ** でも変な話ですね。お金のやりとりをした紙の領収書には印紙を貼らないといけないのに，PDFになったりクレジットになったとたん印紙がいらないなんて。

▶**福島** 印紙税自体が17世紀に生まれたものだからね。

▶**ルル** そんなに昔からあるんですか？

▶**福島** もともとはオランダで戦費調達のために考えられた税金なんです。広く浅く集められる税金なので，集める側からしたら効率がよく，世界中に広まったのです。

▶**ソウマ** 日本ではいつから始まったんですか？

▶**福島** 明治時代です。

▶**ルル** そんなところまで外国の仕組みを導入しなくてもよかったのに…。

▶**福島** なにはともあれ，印紙は意外と複雑なので，正しいルールを身につけておきましょう。

▶**ルル・ソウマ** はいっ！！

第3章

これって経費になりますか？

	内　　訳
印収 紙入	税抜金額
	消費税等

第1章で経費の考え方をお伝えしましたが，ここでは，税理士事務所の福島所長と若手スタッフ，ルル・ソウマとの会話で，様々な具体例を紹介します。

コスプレは経費になりますか？

▶ **ソウマ**　うーん…。

▶ **ルル**　ソウマくん，頭かかえてどうしたの？

▶ **ソウマ**　この領収書なんだけど…。

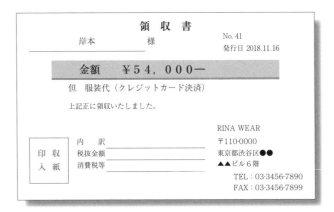

▶ **ルル**　これ，どこのお客さん？

▶ **ソウマ**　セミナー講師業の岸本さんだよ。

▶ **ルル**　あああああーーーー！！！　あの全身ヒョウ柄の服と
サングラスで怪しげな雰囲気でおなじみの人ね！

▶ **ソウマ**　おいおい，そんなストレートな言い方するなよ。見
かけはインパクト大きいけど，仕事はしっかりしてるんだから。

▶ **ルル**　まあね。実際，岸本さんとこの利益，すごく上がっ
てるんだよね。

▶ **ソウマ**　そうそう。で，この領収書だよ。

▶**ルル**　服を買ったのね。

▶**ソウマ**　これ，経費になると思う？

▶**ルル**　ヒョウ柄の服だったらいいんじゃない？

▶**ソウマ**　先生が帰ってくる前に，それだけは確かめてみようか。よし，岸本さんに電話してみよう！

▶**岸本**　ああ，ソウマくん，いつもお世話になります！

▶**ソウマ**　こんにちは。ところで，先日の資料の中に入っていた衣料品店のRINA WEARさんの領収書なんですけど…。

▶**岸本**　あぁ，あれね。セミナーで着ているヒョウ柄の服一式を買い替えたんですよ。いやぁ，ノリで始めたあのスタイル，すっかり馴染んじゃって，いまさら別の服を来たらもう自分じゃないみたいな雰囲気になっちゃってねぇ。

▶**ソウマ**　そ，そうですね。初めてお会いしたときは正直怖かったけど，慣れるとそうでもないんですね。

▶**岸本**　それもよく言われるんですよ。怖そうな服装，イメージダウンなんじゃないかって。でもセミナーの募集するとあっという間に満席になるから，積極的にやめる理由もなくなっちゃって，ハハハハ！！！

▶**ソウマ**　あ，ありがとうございました。それでは失礼します…。

▶**岸本**　はーい，よろしくね〜。

▶**ソウマ**　というわけなのですが，先生，これは経費でよいのでしょうか？

▶**福島**　ソウマくんは，何がひっかかっているのかな？

▶**ソウマ**　はい，例えば今自分が着ているような一般的なスー

ツを経費にするのは難しいかと聞いていますので…。

▶**福島**　なるほど。つまり，服という切り口でいくと，経費にするのは難しいと。

▶**ソウマ**　はい…。

▶**ルル**　先生！！　私のところにもこんな領収書が出てきました！

▶**福島**　どんな領収書かな？

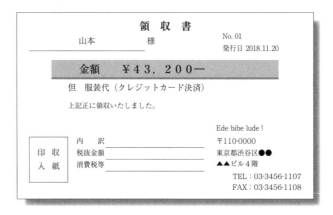

領 収 書

山本　　　　　　様

No. 01
発行日 2018.11.20

金額　　¥43,200―

但　服装代（クレジットカード決済）

上記正に領収いたしました。

印収
入紙

内　訳 _____
税抜金額 _____
消費税等 _____

Ede bibe lude！
〒110-0000
東京都渋谷区●●
▲▲ビル4階
TEL：03-3456-1107
FAX：03-3456-1108

▶**福島**　これはどのお客様？

▶**ルル**　イラストレーターの山本さんです。

▶**福島**　この領収書からは，服を買ったということしかわからないですね。

▶**ルル**　山本さんに確認したら，コスプレ衣装だそうです！

▶**福島**　コスプレね。どこでその衣装を着たのかは聞きましたか？

▶**ルル**　自分の作品集を販売するイベントで，アイドルの衣装のコスプレをしたそうです。

▶**福島**　ちょうど服装に関する事例が2つ出てきましたね。で

は，それぞれ経費になるか検討しましょう。

▶ソウマ・ルル　はい！

▶福島　まずは岸本さんのほうから検討しましょう。今回買っ
たヒョウ柄の服は，セミナーで着るもの，というのは正しいで
すね？

▶ソウマ　はい。

▶福島　では，普段の生活であの服を着ることはあるかな？

▶ソウマ　それは絶対ないです！

▶福島　ですね。日常生活であの格好は…。

▶ルル　あー！　先生まで岸本さんを悪く言ってる！

▶福島　別に悪くは言ってませんよ。普段はああいう服は着て
おらず，セミナーとか仕事の場面で「だけ」着ているから，い
わゆる衣装と言えますね。

▶ソウマ　そうですね。

▶福島　さらに，あの服の雰囲気からして，そもそも日常生活
では着られないですね。

▶ソウマ　ごもっともです。

▶福島　そんなに大きくうなずかなくてもいいのに（笑）

▶ソウマ　すみません…。

▶福島　まあまあ。とにかく，仕事専用と言っても違和感はな
いですよね。

▶ソウマ　はい。

▶福島　トレードマークとも言える衣装，しかも仕事専用です
から，経費としてよいでしょう。

▶ソウマ　OKなんですね！

▶福島　例えば，医者の白衣や喫茶店のエプロンと同じような

考え方をすればよいのです。他にはお笑い芸人がステージで着る原色のスーツとか。

▶ソウマ　なるほど，そういう部類になりますね！

▶ルル　山本さんのコスプレも，日常では着ないからOKですか？

▶福島　そうですね。アーバンガールズのステージ衣装で日常生活をする人はいませんからね。

▶ルル　あれ？　先生アイドルに詳しいんですね（ニヤリ）

▶福島　ん？　私はただ山本さんが販売会に行ったときのブログ記事を読んだだけですよ。

▶ルル　さすが，お客さんのブログをチェックしてるんですね！

▶福島　そうそう。活動記録として，山本さんのブログに，コスプレして作品集を売っている写真がアップされていたんですよ。

▶ルル　日常で使わない服を仕事で使っているから，岸本さんと同様に経費でOKですか？

▶福島　そうですね。問題ありません。厳密に言えば，あのコスプレで本人の出るイベントに遊びに行ったらという問題はありますが…。

▶ルル　先生，実はアーバンガールズのファンなんじゃ！？

▶福島　あ，いや，なに言ってるんだね！

▶ソウマ　今回みたいに，明らかに普通の服と違うものだったらわかりやすいですけど，いわゆるスーツとかをセミナー講師などの公的な場で着るために買った場合はどうなるのですか？

▶福島　それは難しいねぇ。例えば，今ソウマくんが着ているスーツ。これをソウマくんが何かの発表会に出るために買った

としましょう。

▶ ソウマ　はい。

▶ 福島　でもその服は友人の結婚式にも着て行けますよね。

▶ ソウマ　そうですね。

▶ 福島　なので，一般論としてはダメですが，個別の事情によって仕事の意味合いが強ければ経費とも言えますね。

▶ ルル　服装の世界は奥が深いですね。

▶ 福島　その言い方だと，ファッションの話みたいですね。

▶ ルル　へへへ。

同じ領収書でも結果が変わる？

▶**ルル**　あー，きらぼしコーヒーのホワイトモカは最高だなぁ。

▶**ソウマ**　すごくおいしそうで嬉しそうな顔してるけど，あんまりしょっちゅう飲むと太るんじゃない？

▶**ルル**　失礼な！　時々しか飲んでないから大丈夫よ。

▶**ソウマ**　まだ若いからねぇ。

▶**ルル**　太るって私に言うのも失礼だけど，所長が聞いたら…。

▶**福島**　誰が太るだって？

▶**ルル・ソウマ**　ひゃぁぁぁ！！！

▶**ルル**　ところで先生，お客様の資料の中に，今私が飲んでるのと同じホワイトモカのレシートがあったんですけど…。

▶**福島**　どれどれ。これは誰の分ですか？

▶**ルル**　カウンセラーの宮崎さんです。同じ店で日付が違うものが何枚も入っています。この日はコーヒー，この日はカフェオレこの日は…。

▶**福島**　何を飲んだかは会計的には気にしなくてもいいですよ。

▶**ルル**　あ，そうか。

きらぼしコーヒー

●●店　　03-4134-5050

~~~~~~~~~~~~~~~~~

1ホワイトモカ	450
合計（1点）	**450**
（消費税	33）
総合計	**450**
現金	500
お釣り	50

20XX/11/20　19:30

▶**福島**　さあ，これらのレシートは経費になるかならないか，分かるかな？

▶**ルル**　うーん，普段のカウンセリングはホテルのラウンジでやってるから，そっちは経費でOKだけど，きらぼしコーヒーでもやってるのかな。

▶**福島**　困ったときは，どうする？

▶**ルル**　本人に聞いてみます！！

▶**ルル**　先日送ってもらった，きらぼしコーヒーのレシートなんですけど，あれは何をしていましたか？

▶**宮崎**　たしか3枚入れてた？

▶**ルル**　そうです。1つは11月20日でした。

▶**宮崎**　その日はね～，私が先輩カウンセラーに相談をしてたんです。お互いに自分の飲みたいものを買っていたから，1人分になってると思います。

▶**ルル**　はい，1人分でした！続けて11月23日の分は？

▶**宮崎**　23日はメルマガの原稿を書いていたんだけど，家でさっぱり書けなくて，フリーランス気取りで喫茶店で記事を書いたの。そしたらすごく集中できたの！

▶**ルル**　それはよかったですね～！

▶**宮崎**　それで味をしめて，きらぼしコーヒーダイスキ！！　ってなって，数日後に用事もないのにただボーッとするために行っちゃって…。

▶**ルル**　それが11月28日の分ですか？

▶**宮崎**　そうです。

▶**ルル**　それぞれ同じ喫茶店のレシートでも目的が違っていたのですね。それぞれ経費になるか確認しておきます。

▶**宮崎**　よろしくね！

．．

▶**福島**　おや，ソウマくんのところでも飲食関係のレシートが
出てきているね。

▶**ソウマ**　はい，セミナー講師をやっている岸本さんのところ
です。

▶**ソウマ**　こちらは余白に
メモ書きが入っていますね。

▶**福島**　「セミナー用，足
りない分の補充」か。受講
生のみなさんに出すもので
すね。

▶**ソウマ**　普段は業者さん
のところでまとめ買いして
いますので，少し足りなく
てコンビニに行ったのかと
思います。

▶**福島**　おそらくそういう
ことだろうね。さて，いろ
いろ出てきたのでまとめてみましょう。

① **先輩に相談するために喫茶店で一人分の飲み物を買った**

▶**ルル**　これは問題なく経費でよいですか？

▶**福島**　はい，純粋な会議費でよいでしょう。1人分のレシー
トでも会議費の可能性がある，ということですね。

② 原稿を書くために喫茶店に行った

▶**ソウマ**　仕事をしているから，経費ですか？

▶**福島**　これも経費ですね。科目は雑費などでよいでしょう。

③ 喫茶店でボーッとしていた

▶**ルル**　休憩していた，という解釈で…。

▶**福島**　ちょっと厳しいですね。仕事との関連性が薄くて，単なる食事に近いですから。

④ コンビニでの飲み物代

▶**ソウマ**　セミナー用と書いてあるから経費ですね。

▶**福島**　そうですね。仮に家で飲むために買ったものだとしたら，経費にはなりません。

▶**ソウマ**　メモ書きがあったから助かりましたね。

▶**福島**　これ以外にも私が今まで見てきたもので興味深かったものをいくつか挙げてみましょう。

⑤ 新幹線の中での買い物（お土産もの）

▶**ルル**　駅で買えばいいのに。

▶**福島**　そういう問題じゃないです！

▶**ソウマ**　例えば，お客様への手土産として買ったのなら経費ですか？

▶**福島**　そうです。でも私が出張帰りに家族に買ったお土産だったらダメです。

▶**ルル**　じゃあ所長が私達に買ってきてくれれば経費ですね！

▶**福島**　まあ…そうだな。

⑥　ホテルのルームサービス

▶**ソウマ**　普通に考えたら，ただの食事ですよね。

▶**福島**　どんな場面なら経費になるかな？

▶**ソウマ**　うーん。

▶**ルル**　ルームサービスの飲み物を飲みながら原稿を書いたらよいですか？

▶**福島**　喫茶店じゃないから，ルームサービスを使わなくてもホテルの部屋で記事を書けますよね。

▶**ルル**　そうか…。

▶**ソウマ**　だれかと飲食する，という場面ならよいですね。

▶**福島**　そう。仕事に関連する人と食事をするんです。例えば，合宿研修の懇親会（の２次会）をホテルの部屋で行うなどですね。

▶**ソウマ**　同じ領収書でも場面によって経費になるかどうかが変わってくるのですね。

▶**福島**　そうです。だから具体的な状況を確認することが大切なのです。

引っ越しと経費の関係

▶ ルル　♪もうすぐ楽しい連休だ〜。

▶ 福島　ルルちゃん，鼻歌が出るくらい連休が楽しみなんだね。

▶ ルル　はいっ！　友だちとキャンプで飯ごう炊飯したりカレーライス作ったり…。

▶ ソウマ　山はいいねぇ。今度の連休はちょうど流星群が見ごろだし。

▶ 福島　では，2人とも，楽しい連休を前に，仕事ももうひと踏ん張り頼むよ。

▶ ルル　だれか，そういうキャンプのお誘いしてくれないかな〜。

▶ ソウマ　本当の予定じゃないのかよ！？

▶ ルル　あ…。

▶ ソウマ　どうした？

▶ ルル　一気に現実に引き戻される領収書が。

▶ 福島　どんな領収書だい？

▶ ルル　これです。

▶ 福島　料理教室を主宰している高瀬さんだね。

▶ ルル　たしか6月終わりから7月はじめに引っ越しするって聞いてましたけど。

▶ 福島　そうだね。でも，これだけだと入力できないから，高瀬さんに連絡しないといけないね。

▶ ルル　え？　これじゃダメなんですか？

領 収 書

No.
発行日　20××.6.16

高瀬ヘルシークッキングスクール　様

¥450,000-

印
収
紙
入

但し　　家賃等
上記の通りに領収いたしました。

〒101-0000　東京都千代田区○○
福村不動産
TEL：03-51XX-1030

▶**福島**　ソウマくん，この領収書だけじゃ入力できないって知ってますか？

▶**ソウマ**　えーと…，以前だれかの入力で同じケースがあったので分かります。

▶**福島**　じゃあ今回はソウマくんに解説してもらおう。

▶**ソウマ**　え！？　単なる先生のものぐさ！？

▶**福島**　何か言ったかね？

▶**ソウマ**　い，いえ…（汗）。

▶**福島**　高瀬さんには私の方からメールをしておきましょう。

------------------------------（20分後）------------------------------

▶**ルル**　はやっ！　もう資料が届いた！

▶**福島**　高瀬さん，いつも連絡早いな〜。

▶**ソウマ**　じゃあルルちゃん，添付ファイルを見せて。

▶**ルル**　うん。

▶**ソウマ**　このように，引っ越しに関係する支払いは色々なものをまとめて支払っていることが多いから，明細をもらわないと入力ができないんだよね。

20××年6月15日
請求番号：20××06-0016

請 求 書

高瀬ヘルシークッキングスクール 様

福村不動産
〒101-0000
東京都千代田区○○
TEL: 03-51XX-1030
FAX: 03-51XX-1031

下記のとおりご請求申し上げます。

ご請求金額　　　　450,000

内　　　容	金　額
敷金	100,000
礼金	100,000
日割家賃（6/22-30）	30,000
7月分家賃	100,000
火災保険	20,000
仲介手数料	100,000
合計金額	450,000

備考：金額はすべて消費税込となっております。

お振込先　＊お振込み手数料はご負担をお願いいたします。

○○銀行　○○支店（普）00000000 フクムラフドウサン

▶ ルル　なるほど。

▶ ソウマ　じゃあ，上から順番に見ていこう。

① 敷　　金

▶ ソウマ　これは経費ではなく資産として計上するんだ。

▶ ルル　単純に大家さんに預けているお金だからね。

▶ 福島　本当にそれでいい？

▶ ルル　え？

▶ 福島　実は，はじめから戻ってこないことが決まっている敷金もあるのです。

▶**ソウマ**　あ，そうか。ということは，契約書を見ないといけないのですね？

▶**福島**　そうです。高瀬さんは取り急ぎ明細だけ送ってきてくれたけど，後日契約書を送ってきてくれたら，敷金の部分はちゃんと見ないといけないですね。

②　礼　　金

▶**ルル**　これは返ってこないから経費でいいの？

▶**ソウマ**　そうなるね。

▶**福島**　一点だけ補足すると，20万円を超えると注意が必要だ。繰延資産という扱いになるので，次のようになります。

> ・更新料がある場合…更新までの期間（一般的に2～3年）で月数按分（月数で分割して経費にする）
> ・更新料がない場合…5年で月数按分

③　日割り家賃，火災保険

▶**ソウマ**　これらは，科目や消費税に注意して入力だね。

▶**ルル**　うん。

④　仲介手数料

▶**ルル**　これも経費でいいよね。

▶**ソウマ**　そう。

▶**福島**　ここも補足があるけど，分かるかな？

▶**ソウマ**　20万円を超えたら繰延資産になるんですか？

▶**福島**　いや，こちらは繰延資産という概念はないので，20

万円以上だったとしても，通常の経費で入力してよいです。

▶ルル　じゃあこれでチャチャっと入力して，ワッフルでも食べながら契約書を待てばOKですね！

▶福島　ワッフルは食べなくてもいいけど。

▶ソウマ　もう1つ必要なものがありますね。

▶福島　そうそう。ルルちゃんわかるかな？

▶ルル　うーんと…。

▶ソウマ　引っ越しして，今回は新しい教室に関する請求書だよね。

▶ルル　そうか，前の教室の退去関連だ！

▶ソウマ　そのとおり！　前の教室で敷金が全額（または一部）返ってこなかった場合には，その返ってこなかった分が経費になるよ。

▶福島　そうです。前の教室はまだ精算が終わってないって，さっきのメールに書いてあったから，これも後日となるね。

-------------------------------（翌日）-------------------------------

▶ルル　高瀬さんから契約書が届きました！

▶ソウマ　じゃあ，見てみよう。あ，ここだ！

第7条　賃貸借契約を終了する場合又は賃借人の都合により賃貸借契約を解除する場合は，敷金等のうち20％に相当する金額は，賃借人に対し返還を要しないものとする。

▶ルル　今回は20％戻ってこないのね。

▶ソウマ　計算すると10万円×20％＝2万円だから，このまま経費だね。

▶ル ル　20万円以上だと，礼金と同じ扱い？

▶福島　良い目のつけどころだね。昨日話した礼金とまったく
同じ考え方でOKです。

▶ル ル　これで仕訳が完成しました！

完成仕訳

(借) 敷　　　　金　　　80,000

　　　雑　　　費　　　20,000 （返金されない敷金）

　　　地 代 家 賃　　100,000 （礼金）

　　　地 代 家 賃　　 30,000 （日割家賃）

　　　地 代 家 賃　　100,000 （7月分家賃）

　　　火 災 保 険　　 20,000

　　　支 払 手 数 料　100,000 （仲介手数料）

　　　　　　　　　　 (貸) 預　　　金　　　450,000

租税公課って何なのさ？

-------------------------- （事務所の電話が鳴る）--------------------

▶**ソウマ**　もしもし…。

▶**高木**　あ，ソウマくん！

▶**ソウマ**　声だけでわかるんですね。

▶**高木**　まあね！　あ，高木ミュージックスクールの高木ですが，ルルさんいますか？

▶**ソウマ**　はい，お待ちください。

▶**ルル**　高木さん，こんにちは！

▶**高木**　こんにちは。ちょっと聞きたいんだけど…。

▶**ルル**　はい。

▶**高木**　固定資産税って，いっぺんに全額支払うのと，分割で払うので，その後の税金に影響ってありますか？

▶**ルル**　あれ？　スクールの建物って賃貸じゃありませんでしたっけ？

▶**高木**　あ，ごめん。私じゃなくて父の話。賃貸用の物件を持ってるんだけど，そこの固定資産税について，払い方で何か変わるのかって聞かれて。

▶**ルル**　そういうことなのですね！　今までは一括で払っていたのですか？

▶**高木**　そうです。これをもし分割で払ったら何か損することとかありますか？

▶**ルル**　不動産の貸付けに関する税金なら，どちらでも同じですよ。というか，税金を減らしたいなら，払っている・いないに関係なく，請求のあった固定資産税を全額経費に入れればOKです。

▶**高木**　え？　払ってなくても経費なの？

▶**ルル**　そうです。請求が来ていれば，支払うべき金額はもう確定しているので，経費になりますよ。

▶**高木**　そうなんだ！　ありがとう！

▶**ルル**　では，失礼します。

▶**福島**　ルルちゃん，しっかり説明できるようになりましたね。

▶**ルル**　ありがとうございます。

▶**ソウマ**　ところで，先生。今さらな質問なんですけど…。

▶**福島**　はい，なんでしょう？

▶**ソウマ**　固定資産税などの税金は「租税公課」という科目に入れますが，この「租税公課」ってどういう意味なんですか？

▶**福島**　もともとは，「租税」と「公課」という別々の言葉を並べたものですね。細かい言葉の定義は置いておくと，①税金，②国・地方公共団体などに払うお金，③会費を指しますね。

▶**ソウマ**　会費も含まれるのですか？

▶**福島**　言葉の定義としてはそうですが，実際の会計データ入力では，いわゆる会費は別の科目に入れることのほうが多いですね。

▶**ルル**　確かに。租税公課を使うときは，税金と役所への手数料ってイメージですね。

▶**福島**　実務的にはそれでよいでしょう。

▶**ソウマ**　でも，税金系って，意外と引っかかることが多い気

がするんですよ。

▶**福島** そうですね。

▶**ルル** 例えば，これですね。

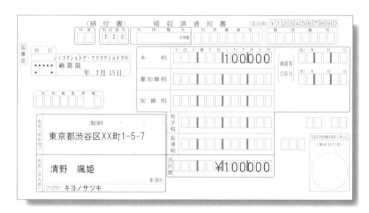

▶**ソウマ** 普通の所得税の領収書だね。

▶**ルル** これは経費にならないじゃないですか！

▶**福島** 確かに，所得税と住民税は経費にならないね。

▶**ソウマ** 他にも経費にならない税金はありますか？

▶**福島** あとは，延滞税・加算税などペナルティの意味合いが強いものですね。ただし，細かい話になりますが，例外があって次の2つは経費になります。

① 法人や個人事業主が負担する従業員の社会保険料の延滞金

② 正規の手続き（納期限の延長）を行った際に発生する利子税・地方税の延滞金

▶**ソウマ** ペナルティ関連は脇に置くとして，基本的には税金も事業に関係あるか，という視点で考えたらいいですか？

▶**福島** そうですね。所得税や住民税は事業とそうではないも

のが混ざっているから経費にならないと考えてもよいでしょう。

▶ル ル　あとは，さっき私が電話で話したようなことですけど，基本的には支払ったときの経費なんですか？

▶福島　いや，それがそうじゃないんだ。

▶ル ル　ええぇ！？

▶福島　固定資産税など，分割で請求が来るものについては，請求額が確定したら経費に入れるというのが原則なんです。

▶ル ル　そうなんですか！？

▶福島　例外として，支払ったときの経費，というふうに規定されているのです。具体的な数字を見てみましょうか。

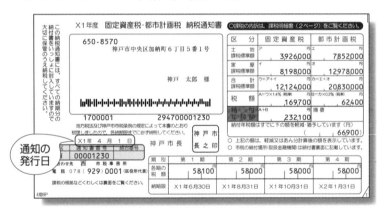

（神戸市の例に日付部分を筆者追加）

▶ル ル　この場合，通知の発行されたX1年4月1日に納付年税額（232,100円）を経費にするのが基本ということですね。

▶福島　そうそう。例外が，各期（58,100円または58,000円）を支払ったときに経費にする方法です。

▶ソウマ　消費税（税込経理）を経費にする場合も，この考え方に従っているのですか？

46

▶**福島** そう考えてよいでしょう。払うのは絶対に年度が終わってからですが，申告時に消費税額を経費に入れることは，普段から行っていますよね。

▶**ソウマ** 確かに。

▶**福島** ちょっと応用の話として，税務調査などで，あとから消費税額が増えることがあります。

▶**ソウマ** そうですね。

▶**福島** その場合は，調査が終わった年（≒修正分になる消費税を支払った年）の経費となるんだ。

▶**ルル** あぁ，税金もいろいろあってややこしいですね。

福利厚生費ってどこまでOK？

▶ ソウマ　うーん…。

▶ ルル　どうしたの？

▶ ソウマ　この領収書なんだけどさぁ。

▶ ルル　見せて見せて。

▶ ルル　これって…。

▶ ソウマ　鉄道模型なことは明らかだよ。

▶ ルル　鉄道ライターの市岡さんだから，模型は経費でいいんじゃない？

▶ ソウマ　ダメとは言い切れないけど，なんでも経費でいいのかな？　って思ってね。

▶ ルル　仕事に使っているかってこと？

▶ ソウマ　そうそう。例えば模型の記事を書くとか，この電車

に乗る前に模型でイメージをつかむとか…。

▶ルル　でも，純粋な趣味で買ってたら，どうなんだろう？　ってところ？

所長，拍手をしながら登場。

▶福島　お見事。2人とも立派な議論ができるようになったねぇ。

▶ソウマ　なんですか，その上から目線。

▶ルル　上司なんだからいいんじゃない？

▶福島　見事に経費の本質をついた2人の話を聞いてたら，今回のお話はもうこれで終わりでいいんじゃないかと思ったよ。

▶ソウマ　ダメですよ！

▶福島　それもそうだな…じゃあソウマくん。その領収書の鉄道模型，何に使ったのか市岡さんに電話で聞いてみようか。

- -

▶市岡　あ，ソウマさん，お世話になります。

▶ソウマ　お世話になります。今大丈夫ですか？

▶市岡　はい！　バッチリです！　ソウマさん，聞いてくださいよ！

▶ソウマ　は，はい…（なんか嫌な予感）。

▶市岡　さっきお茶の水に行ったんですけど，ついに撮れたんですよ。

▶ソウマ　何が撮れたんですか？

▶市岡　丸ノ内線，中央線，総武線が全部走って交差しているタイミングで写真が撮れたんです！

▶ソウマ　…それって，すごいんですか？

▶市岡　すごいに決まってるじゃないですか！　駅でもないところで3つの路線が色々な高さで一気に交差するところって，

見たことありますか？

▶ソウマ　言われてみると，２つならまだしも３つになると，難しそうですね。

▶市岡　そうなの！　私もこれまで何回かチャレンジしたけど，ついにできたんです！

▶ソウマ　おめでとうございます！　ところで，今日の要件ですが…。

▶市岡　あ，ごめんなさい，ついついヒートアップしちゃって。

▶ソウマ　先日送ってもらった，ポッポーデッタの領収書ですけど…。

▶市岡　鉄道模型を買ったものですね。

▶ソウマ　そうです。これって例えば取材に使ったりとかしてるんですか？

▶市岡　うーん，取材じゃないですねぇ。ここのところ原稿を書くことが多くて，ようやく時間ができたので，ふとポッポーデッタへ出かけたら，急に欲しくなっちゃって。ほら，自分へのご褒美ってやつですよ。

▶ソウマ　わかりました。ありがとうございました！

▶市岡　はーい。後でさっき撮った幻の写真，送りますね！

▶ソウマ　あ，ありがとうございます…。

- -

▶ルル　市岡さん，見た目は美人さんなのに，電車の話になるとアツイですよね。

▶ソウマ　ほんとに。見た目だけなら鉄道ライターよりモデルだよ。

▶福島　まあね。私だって，最初に会ったときは驚いたよ。さて，２人とも，今回の鉄道模型は経費になると思うかい？

50

▶**ソウマ**　これが経費になるなら，ぼくだって天体図鑑を買って…。

▶**ルル**　ソウマくん，別に宇宙ライターじゃないじゃん。

▶**ソウマ**　……。

▶**福島**　話を戻そう。市岡さんが自分へのご褒美として買った鉄道模型は経費になるかい？

▶**ルル**　それはだめでしょ！

▶**ソウマ**　ぼくもそう思います。

▶**福島**　そうだね。では，こんなケースはどうだろう。「ソウマくん。いつも丁寧な仕事をありがとう。今日は誕生日祝いということで，前から欲しがっていたちょっと高価な天体図鑑を買ってあげましょう」。

▶**ソウマ**　いいんですか！？　誕生日半年後ですけど！

▶**ルル**　いろいろズレてる！

▶**福島**　たとえ話ですから。仮に私が従業員のソウマくんにお祝いで図鑑を買ったとしたら，経費になると思いますか？

▶**ソウマ**　会社で従業員へのお祝いをあげるなら，福利厚生費になりそうですね。

▶**ルル**　確かに。

▶**福島**　その通り。程度の問題はあるけれど，会社が従業員へのお祝いをする場合は，常識の範囲内なら経費となるのです。

▶**ソウマ**　では，市岡さんのケースも経費ですか？

▶**福島**　それは話が違ってくるね～。**個人事業の場合，自分で自分に福利厚生，という概念はありません。**だから，今回の模型は単なるプライベートでの支払いとなります。

▶**ルル**　常識的な結論ですね。

▶**ソウマ**　確かに。…あれ？　じゃあ法人だったらどうなりま

すか？

▶**福島**　法人だったら，確かに会社と社長は別人格なので，自分への福利厚生，という話からは外れますね。でも結論としては経費になりません。単なる社長の経済的利益になりますから。

▶**ソウマ**　やっぱり法人でも社長への福利厚生費はないのですね。

▶**福島**　完全にダメとは言えないです。例えば，健康診断の費用を社員一律で負担するような場合，社長も含めて福利厚生費として取り扱うことができます。健康診断は会社の全員に受けさせる義務があるので。

▶**ルル**　忘年会とか，全員での行事で社長の分を含めて払った場合はどうですか？

▶**福島**　それも大丈夫ですね。ちなみに，忘年会などでしたら，個人事業でも社長（事業主）の分を含めて払っても大丈夫でしょう。

▶**ルル**　先生，今日は暑いですね～。ビアガーデンで暑気払いなんていかがですか？　先生の飲み代も経費になるんですよね？

▶**ソウマ**　先生！　図鑑の話も一緒に！

▶**福島**　さて，仕事に戻ろうかね。

▶**ソウマ・ルル**　……。

第4章

減価償却と領収書

印収 紙入		内　　　訳
		税抜金額
		消費税等

　　経費の中でも，個人事業者にとってわかりづらい
減価償却費。ここでは減価償却費の仕組みとともに，
購入時の取扱いについて解説します。

減価償却とは何ですか?

▶**フリーランスのくるみ**　先生，今日は相談があって…。

▶**福島**　どうされましたか?

▶**くるみ**　このあいだ，友人数人でドライブ旅行に行ったんです。

▶**福島**　楽しそうでいいですね。

▶**くるみ**　それで，ドライバーの人にお礼を払おうということになったのです。

▶**福島**　ドライバーさんは，運転をしてくれたし，ガソリン代なども払ってますからね。

▶**くるみ**　そうそう。そしたら，ドライバーが冗談で「減価償却費分を払ってね」って言ったんです。

▶**福島**　ほう，なかなか高度な冗談ですね。

▶**くるみ**　その場は「なにそれ〜」ってごまかしたんですけど…。(だんだんヒソヒソ話になる)

▶**福島**　ごまかしたんですけど?　(ヒソヒソ声で)

▶**くるみ**　減価償却費の意味がわからなかったんです。

▶**福島**　ハハハハ!!!!

▶**くるみ**　笑い事じゃないですよ!　ホントに恥をかくと思ったんですから!!

300万円を一気に経費にした場合に起こる問題

▶**福島**　じゃあ，マジメに説明しましょう。例えば，300万円の車を一括払いで買ったとしましょう。

▶**くるみ**　お金持ちですねぇ。

▶**福島**　話の都合上，そういう設定にしています。さて，この場合300万円を経費にしたらどうなりますか？

▶**くるみ**　一気に経費が増えて，その年だけ利益が減りますね。

▶**福島**　そうですね。では，この年だけ利益が減ったのは，売上が減ったからですか？

▶**くるみ**　車を買ったからです！

▶**福島**　ですよね。売上などの本来の活動と違うところで大きく利益が動いてしまうのです。

▶**くるみ**　はい。

▶**福島**　しかも，車って一度買ったら数年は使い続けますよね。

▶**くるみ**　そうですね。

▶**福島**　そこで，お金の動きとは関係なく，帳簿上は，購入した金額を何年かに分割して経費にしていくのです。詳細は次の図を見てください。

【300万円の自動車を買った場合】

新車（軽自動車ではない）で，購入時（X１年１月納車）に300万円一括支払とします。

自動車以外の部分で，毎年の利益を500万円とすると，利益は次の通りです。

	購入した年(X１年)に300万円経費とした場合	分割して経費とした場合
X１年の利益	500－300＝200万円	500－50(※)＝450万円
X１年の翌年(X２年)の利益	500万円	500－50＝450万円
X３年の利益	500万円	500－50＝450万円
X４年の利益	500万円	500－50＝450万円
X５年の利益	500万円	500－50＝450万円
X６年の利益	500万円	500－50＝450万円

（※）300万円÷６＝50万円

購入した年（X１年）に購入費300万円を一気に経費にすると，通常の事業での利益は毎年同じはずなのに，X１年だけ大幅に利益が下がってしまいます。実際は，X１年に払った300万円の効果は長く続くのに，このようになってしまうと，事業の実態を正しく示しているとはいいづらくなります。

そこで，300万円を６年に分割して経費にすることで，毎年の経費金額を均等に分割して，利益への影響を小さく・長くします。これが減価償却です。なお，何年かけて経費にするか（専門用語で「耐用年数」といいます）は，購入したものによって異なります。

減価償却については，実際は細かいルールがたくさんあるの
ですが，ここでは省略します。

▶**くるみ**　ところで先生。減価償却っていくら以上のものから
行うのですか？

▶**福島**　原則として10万円以上のものです

▶**くるみ**　10万円ですか！？　じゃあうちにも関係があ
る！！

▶**福島**　今まで関係ないと思ってたんですか？

▶**くるみ**　だって私，車持ってないし，そんなに高いものは買
わないですから。でも15万円のパソコンを買ったら，何年か
に分割して経費にするのですね。

▶**福島**　ところが，これが単純な話ではないのです。

▶**くるみ**　あぁ，また難しい話をブツブツ…。

▶**福島**　なるべくシンプルに話すので，ついてきてください。

▶**くるみ**　努力します。

白色申告の場合

①10万円未満の場合
買った年にすべて経費

②10万円～199,999円の場合
３年に分けて経費にする（一括償却）または20万円以上
と同じ

③20万円以上の場合
資産によって一定の年数（使用開始時からの月数）で償却
（通常の償却）

▶**くるみ**　20万円以上の場合は，前のページの車の例と同じですね。

▶**福島**　そうです。

▶**くるみ**　逆に10万円未満は，通常の消耗品費などでいいのですね。

▶**福島**　シンプルに書いたから理解が早いですね！

▶**くるみ**　②の一括償却はよくわからないから，この金額のものは買わない。

▶**福島**　おーい！！

▶**くるみ**　じゃあ，よくわからないから，白色申告にしないで青色申告にする！

▶**福島**　あ，白色申告と青色申告の違いは第6章（116ページ）で触れますね。それで，一括償却ですが…。

▶**くるみ**　やっぱりパスできませんか。

▶**福島**　読者の皆さんに怒られますよ。具体例で書きますね。

（例）5月に15万円のパソコン、9月に12万円のカメラを購入。
この場合の減価償却費は、次の通りです。
（15万円＋12万円）　×　1/3　＝　6万円

▶**くるみ**　あれ？　何月に買ったかは考慮しないのですか？

▶**福島**　そうです。何月に買おうと，同じ年に買ったものは「一括で」計算するのです

▶**くるみ**　だから「一括償却」というのですね！

▶**福島**　金額もそこまで高くないので，通常の減価償却より計算をシンプルにして，手間がかからないようになっています。

▶**くるみ**　3分の1っていうのは何ですか？

▶**福島**　モノによって何年で償却，と考えるところもシンプルにして，一律3年にしています。

▶**くるみ**　そこも一括なのですね。

青色申告の場合

①10万円未満の場合
買った年にすべて経費

②10万円〜299,999円の場合
買った年にすべて経費（少額減価償却資産）
　（注）10万円〜199,999円の場合は、白色申告と同じ一
　　　　括償却も選択可
　　　　20万円〜299,999円の場合は、③と同じ方法も選
　　　　択可

③30万円以上の場合
資産によって一定の年数（使用開始時からの月数）で償却
　（通常の償却）

▶**くるみ**　つまり，299,999円と30万円が境目になるのですね。

▶**福島**　そういうことです。

▶**くるみ**　でも，10万円未満と10万円以上を分けているのはなぜですか？

▶**福島**　10万円から299,999円までは，あくまで「減価償却の特例」として全額を減価償却費として経費にできるからです。

▶**くるみ**　10万円未満は通常の消耗品費などですから，科目が違うのですね。

▶**福島**　そういうことです。また，決算書でも「少額減価償却資産の特例を使った」という記載が必要です。

カーナビやドライブレコーダーは 減価償却が必要？

▶**ソウマ**　先生。この領収書なんですけど…。

▶**福島**　ドライブレコーダーか。最近は自動車でもいろいろあるから，用心のために付けておく人が増えたねぇ。

▶**ソウマ**　これは単品で３万５千円だから，消耗品で経費にしていいですか？

▶**福島**　問題なく普通の経費だね。

▶**ソウマ**　でも，ドライブレコーダーって単独では使わないと思います。

▶**福島**　確かに，車に付けて使うのが一般的だ。

▶**ソウマ**　だとしたら，車の一部として減価償却をしなくてもいいのですか？

▶**ルル**　すごい！　よくそんなこと思いつくね！

▶**福島**　これは大事な話なので，解説しましょう。

▶**ルル**　はい，お願いします！

▶**福島**　例えば，自社ビルに非常階段を新たに付けたとしましょう。

▶**ルル**　急に大きな話になりましたね。

▶**福島**　まあまあ。これは，明らかに建物の価値が上がっています。

▶**ソウマ**　確かに。

▶**福島**　こういうことを「資本的支出」といって，普通の減価償却と分けて考えます。

▶**ソウマ**　具体的に何が変わるのですか？

▶**福島**　この例でいうと非常階段ですが，これを建物と考えて減価償却をします。

▶**ソウマ**　非常階段の耐用年数で減価償却をしないのですね。

▶**福島**　そうです。

▶**ルル**　「資本的支出」というのは，価値が上がるときって考えればいいですか？　でもそうしたら，さっきのドライブレコーダーも価値が上がっていませんか？

▶**福島**　そこが「資本的支出」の難しいところなんだ。

▶**ソウマ**　非常階段の例のようにしない場合があるのですか？

▶**福島**　そう。ドライブレコーダーは典型的な例なんだ。具体的に言うと，20万円未満の場合は，資本的支出としなくてよい，となっているんだ。

▶**ソウマ**　青色申告の減価償却の30万円とは違うんですね。

▶**福島**　そう。60ページとは金額が違うから注意が必要だ。

▶**ルル**　他にも例外的なものはありますか？

▶**福島**　自動車を例にするなら，タイヤを交換した場合だ。

▶ルル　20万円以上だとしても，ですか？

▶福島　最近では一般的な自動車用品店で20万円以上というのは珍しいですが，仮にそうだとしても，原則として「資本的支出」にはしません。

▶ルル　どうしてですか？

▶福島　タイヤを交換したのは修理の意味合いが強く，車自体の価値が上がるとは考えづらいからです。

▶ソウマ　簡単にまとめると，20万円以上かけて，資産をパワーアップしたら，資本的支出になる，ということでしょうか？

▶福島　それでよいでしょう。ただし現実にはパワーアップなのか単なる修理なのか，わかりづらいケースもあります。

▶ソウマ　その場合はどうするのですか？

▶福島　個別に話をすると長くなるので，フローチャートを見せましょう。

▶ソウマ　図にまとめるとわかりやすいですね！

▶ルル　ところで先生。素朴な疑問なんですけど。

▶福島　はい，どうぞ。

▶ルル　もし，３万５千円のドライブレコーダーを新車の納品の際に付けていたら，どうなるのですか？

▶福島　その際はパワーアップではなく，最初から付いているものなので，車の取得価額に含めることになります。

▶ルル　じゃあ，最初に付けないで，後から付けたほうが，早く経費になるのですね！

▶福島　そうなんです。さすがに翌日ではまずいですが，数か月経っていれば，問題ないでしょう。

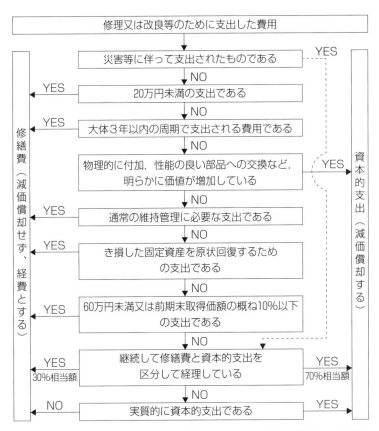

修理又は改良等のために支出した費用

災害等に伴って支出されたものである　YES

NO

修繕費（減価償却せず、経費とする）

YES　20万円未満の支出である

NO

YES　大体３年以内の周期で支出される費用である

NO

物理的に付加，性能の良い部品への交換など，明らかに価値が増加している　YES

NO

YES　通常の維持管理に必要な支出である

NO

YES　き損した固定資産を原状回復するための支出である

NO

YES　60万円未満又は前期末取得価額の概ね10％以下の支出である

NO

YES　30％相当額　継続して修繕費と資本的支出を区分して経理している　YES　70％相当額

NO

NO　実質的に資本的支出である　YES

資本的支出（減価償却する）

※　税務研究会出版局　平成30年度版税務インデックスより，簡略化して引用。

※　このフローチャートは全体像を把握しやすくするために，細かい部分を省略してあります。

自動車購入時の仕訳はどうする？

▶**福島**　Hi.

…

▶**福島**　Oh！That's great!!　I want this，too. But…．

…

▶**福島**　OK See you.

▶**ソウマ**　先生，だれか外国人との電話ですか？

▶**ルル**　まさか，外国人のお客様が来るんですか？　わたし，英語できませんっ！

▶**ソウマ**　僕だって，英語は苦手ですよ。

▶**福島**　いやいや，翻訳家の野中さんと英語の練習をしてたんだよ。

▶**ソウマ**　そういうことですか，ビックリした。

▶**ルル**　先生，英会話できるんですね。

▶**福島**　なんですか，うちの子どもみたいなリアクションをして！

▶**ソウマ**　そういえば，電話の中で何かがほしいって言っていましたね。

▶**福島**　そうそう，私は車がほしいんだけど，妻がどうしてもダメだって言うんだよ。「あなた，妻と子どもを残して先に死ぬ気！？」って，私の運転技術を信用してくれないんだ。

▶**ルル**　過去によほどひどい運転をしたんですか？

▶**福島**　ペーパードライバーになってからは長いけどねぇ。

▶**ソウマ**　そういえば，昨日届いた野中さんの資料の中にも，新しい車の購入に関する明細が入ってましたよ。

▶**福島**　その話をさっきしてて…。あぁ，いいなぁ…。

▶**ソウマ**　先生の車がほしいって話はどうでもいいとして。

▶**福島**　どうでもいいんかい！

▶**ソウマ**　自動車購入の仕訳って，毎回「確かこんな感じだよな」って迷うんですよね。

▶**ルル**　そうそう。

▶**福島**　言われてみると，きちんとまとめたものは，あまり見ないですね。

▶**ルル**　自動車購入の仕訳って，なんかゴチャゴチャしてますよね。

▶**福島**　では，質問です。どうしてゴチャゴチャすると思いますか？

▶**ソウマ**　本体は減価償却する対象になるけど，自賠責などは買った年の経費になるし，どの部分を何で入力するかがややこしいですね。

▶**福島**　そうですね。では話を整理しましょう。

▶**ルル**　はい。

▶**福島**　一番簡単なケースでいきましょう。仮に諸費用などすべて合わせて200万円の車を一括キャッシュで購入したとします。

▶**ソウマ**　景気のいい話ですね！

▶**福島**　確かに！　この場合の一番シンプルな仕訳はこうなりますね。

```
（借）車      両    2,000,000
                 （貸）現      金    2,000,000
```

▶ルル　Oh !　Simple is best !!

▶福島　ルルちゃん，英語できるじゃないですか！

▶ソウマ　でも現実はそういう仕訳にしないですよね。

▶福島　なんでだと思う？

▶ソウマ　消費税の問題ですか？

▶福島　それも正解。自賠責などは消費税の課税仕入にならないですからね。ちなみに，ここから先の話が難しいと感じた場合，消費税の原則課税（144ページ）が必要でなければ，リサイクル預託金だけ考慮すればOKです。

▶ルル　他にも理由があるのですか？

▶福島　減価償却です。この仕訳ですと，200万円全額を，例えば6年（72か月）かけて経費にすることとなります。全額経費になるまでの時間が長いですね。

▶ソウマ　全額現金払いで買ったのに，経費になるのに6年かかるのは，経営者からしたら嫌ですよね。

▶福島　そうですね。そこで，買った時点で通常の経費にできるものを，できるだけたくさん見つけてあげればよいのです。

▶ソウマ　そういう考え方なんですね！

▶ルル　だから，車を購入した際には，領収書だけではなく，明細をもらうんですね。

▶福島　そのとおり！　では，今回の野中さんの明細を見てみましょう。

```
ご請求明細

車両本体価格              1,930,000（A）

自動車税                   10,000
自動車取得税               10,000
自賠責保険料               30,000
税金自賠責等計             50,000（B）

検査登録法定費用            3,000
車庫証明法定費用            2,000
リサイクル預託金           15,000
諸費用合計                 20,000（C）

合計                    2,000,000（A＋B＋C）
```

▶**ソウマ**　さて，この中から何を読み取ろう…。

▶**福島**　細かい法的な解説はいっさい飛ばして，結論を言いましょう。

▶**ルル**　難しい話を全部パスしてくれて，気持ちいいですね～。

【明細から抜き出す項目】

（減価償却せずに，購入時の経費になる項目）

・自動車税 (注1)

・自賠責保険料 (注1)

・自動車取得税

・自動車重量税

・検査登録法定費用

・検査登録代行費用

・車庫証明費用（法定）

・車庫証明関係費用

・リサイクル預託金 (注2)

▶ソウマ　（注1）と書かれたものは，何を注意するのですか？

▶福島　中古車を購入した場合に，未経過分の金額を精算することがあります。

▶ルル　未経過分ってなんですか？

▶福島　例えば，自動車税は4月1日に所有している人が1年分支払います。年の途中でだれかに譲っても，その税金を負担すべき人は4月1日に所有している人なのです。

▶ルル　じゃあ，10月1日に譲り受けた人は半年分自動車税を得するのですね。

▶福島　法的にはそのとおりです。でも，そのとおりにすると前の所有者が損をしてしまうので，10月1日に所有者が変わったとするなら，新しい所有者が前の所有者に半額支払う，ということがよく行われます。

▶**ソウマ**　その方が公平ですね。ところで，その場合の自動車税はどうなるのですか？

▶**福島**　法律上の自動車税の負担者はあくまで前の所有者なので，新しい所有者が前の所有者に払った（精算分の）自動車税は，本体価格とみなします。

▶**ソウマ**　ということは，「明細から抜き出さない　→　購入時の経費にしない　→　減価償却の対象になる」という流れですね。

▶**福島**　そのとおり！

▶**ルル**　では（注２）と書いてあるリサイクル預託金は，何を注意するのでしょう？

▶**福島**　これは，経費でもなければ，減価償却もしないものです。

▶**ルル**　え？　何にするのですか？

▶**福島**　これは単なる預け金（貸借対照表の「投資その他の資産」に入れることが多い）です。新車を買った人がいったん仮で負担しますが，中古車としてだれかに譲ったら，このリサイクル預託金は新しい所有者から返してもらいます。

▶**ソウマ**　さっきの自動車税の精算みたいですね。

▶**福島**　似ていますが，意味合いはまったく違います。最初の持ち主からしたら，仮に払ったものを次の人に返してもらうのです。つまり，プラスマイナスゼロになるのです。

▶**ルル**　ということは，どんどん進んでいって，最後の使用者はどうなるのですか？

▶**福島**　廃車になったときの使用者が負担するものなのです。

▶**ソウマ**　では，このリサイクル預託金（預け金）は廃車になった時点で経費になるのですか？

▶福島　そういうことです。

▶ルル　自動車購入の仕訳ってなんだか難しいと思ってましたけど，こうしてまとめるとシンプルですね。

（参考）　明細に関する仕訳

（新車購入とする）

（借）車　　　　両	1,930,000	
租　税　公　課	20,000	
保　　険　　料	30,000	
諸　　費　　用	5,000	
リサイクル預託金	15,000	
（貸）現　金　預　金		2,000,000

第5章

こんなときはどうする？

印収紙入	内　　訳	
	税抜金額	
	消費税等	

　確定申告を行うにあたって，素朴な疑問がでてくることがあると思います。ここでは，他の章に入れることができない，個別の内容を紹介します。

▶ ルル　あれ？　えええ！？

▶ ソウマ　どうした！？

▶ ルル　この領収書を見て！

▶ ソウマ　うーん，まずいねー。

▶ 福島　どうしたんだい？

▶ ルル　これ，去年の領収書です！　今年の資料の中に混ざってました！

▶ 福島　まずはこの領収書の内容を本人に聞いてみましょう。

▶ ルル　はい！　電話します！

▶ ルル　お世話になります。税理士事務所のルルです。

▶ 高木　こんにちは～。元気？

▶ルル　はい！　いい天気なので，遊びに行きたいです。

▶高木　じゃあ，ウチの音楽教室にレッスン受けに来る？

▶ルル　いいですねー！！　歌を歌うの大好きです！！

▶高木　それで，今日はどうしたの？

▶ルル　あの，この間送ってもらった資料の中に，去年の歯医者さんの領収書が入っていたんですけど…。

▶高木　あ！　去年のを今頃送ってた！？　うっかりしてた！ごめんね。もうダメだよね？

▶ルル　それは先生に確認してみます。この領収書の内容を教えていただけますか？

▶高木　歯医者さんの領収書だと，母がインプラントの手術を受けたものですね。たしか医療費って税金が安くなると思ったから，入れておこう，と思ったまではよかったんだけど，遅かったかー。

▶ルル　ちなみに，去年は他の医療費はかかってないですか？

▶高木　ないです！　去年は家族みんな元気でねー。父は年金暮らしで，母はまだ年金出る年じゃないけど，両親ともに楽しく元気でやってますよ。

▶ルル　ありがとうございます！　では，この取扱いを確認して，また連絡しますね。

▶高木　ありがとう！　よろしくね！

▶ルル　ということなので，内容自体は問題なく医療費控除の対象だと思います。

▶福島　対象になること自体は問題ないですね。

▶ルル　でも，申告書はもう出しちゃってますよ。

▶福島　こういうときは「更正の請求」という手続きができる

んだ。

▶**ソウマ** 「更正の請求」ですか？

▶**福島** ２人はまだやったことなかったね。申告期限を過ぎてから申告書の誤りが見つかったときは，次の２パターンの手続きがとれるんだ。

① 訂正して税金が増える場合：修正申告

▶**福島** 例えば，売上が漏れていた場合などだね。

▶**ソウマ** 売上を追加で入れて，もう一度申告書を出すんですか？

▶**福島** そう。このような申告を「修正申告」といって，修正申告書を提出したら追加の税金を速やかに払うことになります。

② 訂正して税金が減る場合：更正の請求

▶**福島** 今回はこちらだね。

▶**ルル** 医療費控除を新たに追加することで，税金が減るんですね。

▶**福島** そのとおり。先ほどの電話だと，高木さんのご家族の医療費は，インプラントの領収書１枚だけのようですね。

▶**ルル** 更正の請求って，専用の用紙があるんですか？

▶**福島** 今回の場合なら「所得税及び復興特別所得税の更正の請求書」という用紙を使うんだ。細かい手続きは省略するけど，次の２点を証明できれば，更正の請求ができるんだ。

① 医療費控除を忘れていたこと
② 医療費を払っていたことを証明すること

▶ルル　では，領収書のコピーを添付するんですか？

▶福島　そうですね。領収書などの資料（のコピー）の添付は必須です。

-------------------------------- （電話がかかってくる） --------------------------------

▶野中　ソウマさん，こんにちは。野中です。

▶ソウマ　お世話になります。どうされました？

▶野中　ちょっと困ったことがありまして…。

▶ソウマ　なんですか？

▶野中　実は，去年のタクシーの領収書が20枚くらい出てきちゃったんですけど，どうしましょう？

▶ソウマ　あのぉ，それって去年送り忘れていた，というお話でしょうか？

▶野中　そうなんですよ。翻訳の大きな仕事が終わって一段落して，部屋の掃除を始めたら，前のプロジェクトでたくさん乗ったタクシーの領収書がまとめて出てきて，「これ，ソウマさんのところに送ってなかった」ってなって，あわてて電話したんです。

▶ソウマ　とりあえず，一式送ってもらえますか？　更正の請求という手続きで，申告をやり直せますので。

▶野中　Oh！Great！　電話してよかったー。ありがとう！

▶ソウマ　はい，よろしくおねがいします！

▶福島　どうやらソウマくんも更正の請求をするようですね。

▶ソウマ　そのようです。

▶福島　今度は経費の追加なので，医療費とはまた違ったポイントがあります。

▶ソウマ　といいますと？

▶**福島**　野中さんの家からでてきたタクシーの領収書を，最初の申告で経費に入れていなかった，ということをこちらで説明する義務がありますね。

▶**ソウマ**　義務なんですか？

▶**福島**　「更正の請求」は，税金を減らすことを請求するので，納税者に有利なことを請求していますね。

▶**ソウマ**　はい。

▶**福島**　ですから，こちらで「当初の申告に誤りがありました。この請求のほうが正しいです」ということを，税務署側に説明しないといけないのです。

▶**ルル**　高木さんの医療費控除の件だと，まったく行っていなかったところに領収書を見せれば，それでOKだったのですね。

▶**福島**　そうです。一方で野中さんのタクシーの場合は，すでに旅費交通費で他のタクシー代もあるでしょうから，そこには含まれていません，ということを説明することも必要なのです。

▶**ソウマ**　具体的にはどうしたらよいのですか？

▶**福島**　新たにでてきたタクシーの領収書のコピーと，当初の申告書の旅費交通費の総勘定元帳を提出することになります。

▶**ソウマ**　では，さっそく総勘定元帳をプリントします！

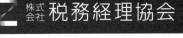

採択されやすい事業計画書が書ける！
中小企業・支援者のための　ものづくり補助金申請ガイドブック

事業計画書記載のコツなど採択されるためのノウハウを大公開。申請準備
〜採択後の事業化段階まで網羅。令和２年度改正対応版！

大西 俊太 著　　6714-4　2020/8発売　A5判並製 200頁 2,640円

グループ・ガバナンスの実践と強化

グループ・ガバナンス実践に向けて実務指針を読み解きなが
ら有効に進めるための実務書。具体的な推進方法について
ケースを交え解説。

山田 英司 著　　6661-1 2020/3発売　A5判並製 244頁 3,080円

税理士が提案できる家族信託
─検討・設計・運営の基礎実務─

税理士実務の目線で、家族信託の検討・設計・運営の進め
方を解説。相続のプラン提案の幅を広げる。　　6692-5

成田 一正・石脇 俊司 著　2020/6発売 A5判並製 168頁 2,530円

会計基準の考え方〔改訂版〕
〜学生と語る23日〜

会計基準の重要なテーマを教授と学生の対話形式で解説。
的や問題点を詳らかにし、基準の全体像の把握に役立つ。

西川 郁生 著　　　6730-4　2020/6発売　A5判並製

行政書
開業

開業
ないた

竹内

税理士のための
財産の洗い出しに係る相続人へのヒアリング

相続案件において難易度の高い相続財産の洗い出しにつき、相続人のタイ
プ、財産の種類別にヒアリングの手法等を解説。

後藤 勇輝 著　　6723-6　2020/8発売　A5判並製 152頁 2,420円

メガEPA時代の貿易と関税の基礎知識

貿易実務、わが国の関税、EPAの原産地基準の基礎を解説
した書。貿易業の従事者、税理士などの士業での知識を必
要とする者に最適。

片山 立志 著　　6745-8 2020/10発売 A5判並製 308頁 3,740円

事業

事業
を整理

玄場

税理士のための
個人事業者・フリーランスの税務調査　─実例＆対応ガイド─

個人事業者・フリーランスの税務調査全体の流れと、著者の実際の経験を
基にした調査官が重点的にみるポイントと対応について解説。

内田 敦 著　　6673-4　2020/2発売　四六判並製 176頁 1,870円

キャリアアップを目指す人のための
「経理・財務」実務マニュアル〔新版〕

経理業務の教科書的な内容。「業務の流れ」、「会計上のポ
上のポイント」、「内部統制上のポイント」の４つの視点か
財務スキルスタンダードに完全準拠。

石田　正監修／青山隆治・馬場一徳・奥秋慎祐　著
　　　　　　上巻：6588-1　2018/12発売　A5判並製
　　　　　　下巻：6589-8　2018/12発売　A5判並製

試験
キャ

非正
に必

石井

社労士

調査の現場から見た
国際資産課税の実務

海外資産と国際相続の課税実務をリアルな税務調査の目線
から国際税務の最前線にいた元国税調査官が解説。

安永 淳晴 著　　6742-7　2020/9発売 A5判並製 202頁 2,420円

**エッセンス
を翻訳した**

英語版『Introduction to Japanese "Accounting and Fir
　　　　　　　　6503-4　2017/12発売　A5判並製
中国語版『会計師以及首席財務官的綜合手冊
　　　　　　　　6658-1　2020/12発売　A5判並製

介護福
整備士

林

お金をもらう側が準備する領収書

▶ ルル　はい，おみやげ！

▶ ソウマ　お〜，もみじまんじゅうだ。ありがとう！　連休は広島に帰ってたんだね。

▶ ルル　そうそう。もみじまんじゅうを買ったり，お好み焼きを食べたりすると，「広島に帰って来たんじゃね〜」って気分になるんよ。

▶ ソウマ　広島弁抜けてないし…。

▶ ルル　いいの！　ところでソウマくんはどうしてたの？

▶ ソウマ　どこへ行っても混んでるから，ホーキング博士をはじめ，宇宙に関する本を読んでたよ。日常の喧騒から離れて宇宙に思いを馳せる，いい連休だったよ。

▶ ルル　そ，そうか。

▶ 福島　ふたりとも，そろそろ仕事に戻ってもらえるかい？

▶ ルル・ソウマ　は，はい…。

▶ ソウマ　うーん。

▶ ルル　どうしたの？

▶ ソウマ　このメールなんだけど。

From：NONAKA（nonaka@xxxxx）
To：SOUMA（souma@taxoffice.xx）

Title：講師料の支払方法について

ソウマ様
いつもお世話になります。野中です。
講師料の支払方法について教えていただきたく，メールしました。

今度，通訳・翻訳家を集めてセミナーを行うことになりました。

講師の方をお呼びして，講師料をお支払いするのですが，この場合，領収書はどうしたらよいのでしょか？

講師の方に「領収書を作ってください」とお願いするのも，なんだか気が引けるので，なにか方法はありませんでしょうか？

よろしくおねがいします。

▶ﾉﾉ　支払った記録ね～。現金で払ってるとはいっても，相手に領収書を書いてもらうのも。

▶ソウマ　気が引けるよな。講師として呼んでいるのに，「領収書を用意してください」ってお願いするのもな～。

▶ルル　わたしたちじゃお手上げだから，さっさと先生に相談しちゃおう！

▶ソウマ　そうだな。

▶ソウマ　というわけなのですが…。

▶福島　なるほど。そういう場合は，こちらで領収書を作ればいいんですよ。

▶ルル　払う側で領収書を作っちゃうんですか？

▶福島　そう。8割くらい完成している領収書をお膳立てするんだ。

▶ソウマ　具体的には，どうするのでしょうか？

▶福島　ソウマくん。ネットで領収書のテンプレートを探してくれるかな？

▶ソウマ　はい！

▶福島　そのテンプレートで私が見本を作りましょう。

▶ルル　おおっ！　所長自ら書類作成！

▶福島　普段からやってるでしょ！

-------------------------------- 数分後 --------------------------------

▶福島　これで完成だ（次ページ参照）。

▶ソウマ　一部空欄の状態にしているんですね。

▶福島　そう。日付，住所，氏名を空欄にしておいて，現金を渡す際に記載してもらうのです。

▶ルル　これなら，講師の方も手間が省けますね！

▶福島　ところで，次のどちらかに当てはまる人が講師料を払う際には，注意が必要だ。

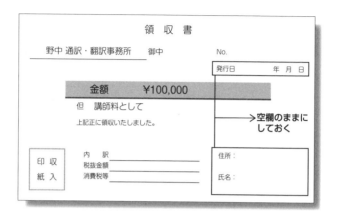

① 法人が個人に払う講師料
② 個人で常に従業員に給与を支払っている人が個人に支払う講師料

▶ソウマ 何に注意したらよいのですか？

▶福島 講師料を支払う際に，源泉所得税を引く義務があるんだ。

▶ルル あの10.21％ってやつですか？

▶福島 そう。例えば10万円の講師料なら，10万×10.21％＝10,210円を引いて，89,790円を支払うこととなるんだ。

▶ソウマ 今回は，上記のどちらにも当てはまらない人なので，そのままの支払いで大丈夫です！

▶福島 そういえば，ソウマくん。この相談をしてきた人って誰ですか？

▶ソウマ 通訳・翻訳家の野中さんです。

▶福島 え！？ 野中さんだったの！？

▶ ルル　なにか問題があるんですか？

▶ 福島　いや〜，野中さんには通訳・翻訳家の方向けに確定申告のセミナーをやってほしいと頼まれていたんだ…。

▶ ソウマ　ということは，結局先生は自分で領収書を作ってしまったんですね。

▶ 福島　やれやれ。

領収書を発行できない？

- ▶**ソウマ** うーん…。
- ▶**ルル** どうしたの？　昼休みに本を広げて。
- ▶**ソウマ** もうすぐ検定試験なんだよ。
- ▶**ルル** なんの検定？
- ▶**ソウマ** 宇宙に関する知識を問われる検定だよ。今年は２級に挑戦するんだ。
- ▶**ルル** ソウマくんは，本当に宇宙のことが好きだよね〜。
- ▶**ソウマ** 壮大な銀河系のことを考えていると，日常の些細なことはどうでもよくなってくるね。
- ▶**ルル** じゃあ税金なんかどうでもよくなっちゃうじゃない！
- ▶**ソウマ** それもマズイな…。

-------------------------（所長の携帯電話が鳴る）-------------------------

- ▶**福島** はい，もしもし。
- ▶**高木** お久しぶりです。高木です！
- ▶**福島** おー，高木さん。いつもお世話になってます。電話で話をするのは久しぶりですね。なにかありましたか？
- ▶**高木** それがですね…ゴニョゴニョ。
- ▶**福島** 言いづらい話だからって，小さい声で話されたら，聞き取れないですよ！
- ▶**高木** あ，すいません（笑）真面目に話しますね。ちょっと困ったことがあるんですよ。
- ▶**福島** はい。

▶**高木**　今度ウチのミュージックスクールで，ゲスト講師に来てもらおうと思うんです。この講師というのが，普段は会社員なんです。

▶**福島**　ええ。

▶**高木**　講師料を経費にしようと思ったら，領収書を書いてもらわないといけませんよね。

▶**福島**　はい，だれにいくら支払ったかは記録を残さなければ経費にできません。

▶**高木**　でも，講師の人が会社に収入があることがバレたら困るんですよ。

▶**福島**　ちなみに，講師料はおいくらぐらいですか？

▶**高木**　だいたい1〜2万円くらいです。まあ講師を頼む方は友達なので，領収書をもらって迷惑かけても悪いから，今回は経費にするのを諦めたほうがいいですか？

▶**福島**　高木さんがそれでよいなら，諦めるというのも1つの選択肢ですし，それが一番早いですよ。

▶**高木**　あ，それか講師料ってお金を渡すのがマズイなら，お金じゃなくて食事をご馳走するってのはどうですか？

▶**福島**　それなら，高木さんのところでは交際費で経費にして，相手は特に収入とはならないですね。

▶**高木**　よし，それでいきます！　ありがとうございました！

▶**福島**　はい，ではまたよろしくお願いします。失礼します。

·············（所長，電話の内容をソウマとルルに伝える）·············

▶**ソウマ**　そういう場合って，相手の名前を隠して経費にすることはできないんですか？

▶**福島**　会計ソフトの入力の時点でしたら，相手の名前を書かないケースはあり得ると思いますよ。でも，税務調査の場で

「これの支払先は？」と聞かれたときに「答えられません」って回答したらどうなりますか？

▶ﾙﾙ　怪しい！　怪しすぎるっ！！

▶福島　ですよね。もしこれがまかりとおるなら，相手が存在しない，ニセモノ領収書を偽造できてしまいます。

▶ｿｳﾏ　確かにそうですね。

▶福島　税務調査の現場で問題になるのは，相手がだれか，ということもですし，受け取った人が確定申告をしているか，ということもあります。

▶ﾙﾙ　そこまで見てるんですね！

▶福島　そういうケースもあります。もしこのような取引で相手が受け取った金額が200万円だったら，受け取った人が確定申告することで税金が発生しますからね。

▶ｿｳﾏ　受け取った人の申告書の提出・税金の支払をチェックされるのですね。

▶ﾙﾙ　受け取った人が「あなた，申告してますか？」って税務署から確認されたりするんですか？

▶福島　そういうこともあり得ますよ。

▶ﾙﾙ　そんなことされたら，支払った人，恨まれますよ！お金を払って恨まれるなんて，いやですよ！

▶ｿｳﾏ　もらった人が素直に申告すればいいんじゃないですか！

▶福島　ところが話はそう簡単じゃないんです。本人は申告して税金を払うことをOKしても，例えばその人が会社員だとして，よけいな収入があることを会社にバレることが問題になるケースがあります。

▶ｿｳﾏ　会社で副業を禁止しているケースですか？

▶**福島**　そう。まったく会社に迷惑をかけていないことでも，形式的な部分だけで問題になってしまうことを避けたい人はいるでしょう。

▶**ルル**　じゃあどうしたらいいのですか？

▶**福島**　これといった明確な答えはないです。

▶**ソウマ**　じゃあ，これを読んでいる人は，時間の無駄遣いをしたんですか？

▶**福島**　それもマズイですね。現実的な対応をお伝えしましょう。

▶**ルル**　読者のみなさま，おめでとうございます！

▶**福島**　1つは，高木さんがとった解決方法です。

▶**ルル**　お金を払わずに食事をおごるのですね。

▶**福島**　そうです。少額ならこの方法が一番早いです。

▶**ソウマ**　では，もう少し高額になったら？

▶**福島**　もしこのような支払いが定期的にあるのであれば，そして法人であれば，という条件付きになりますが，あらかじめ社長の給料を少し高めにしておくことです。

▶**ルル**　給料として社長がもらったお金の中から払うんですか？

▶**福島**　そうです。その場合，会社の帳簿に一切出てこないです。

▶**ソウマ**　でも給与ってことは，社長個人の税金や社会保険料が上がりませんか？

▶**福島**　そこはやむを得ないです。これは完璧な方法ではありません。また，払った金額が年間110万円を超えれば，贈与税の問題も出てきます。

▶**ルル**　困った問題ですね〜。

▶**福島**　世の中は少しずつ副業に寛容になってきているから，あと10年経ったら，「給与以外の収入はきちんと申告しましょう」って言うだけで終わりの話になっていてほしいですね。

年末の大量購入には要注意！

▶**ルル** 先生，今日は調子悪そうですね。

▶**福島** そうなんだよ。ゆうべの忘年会で，はしゃぎすぎちゃって…。

▶**ルル** はしゃぎすぎる先生を見てみたいです！

▶**福島** それは見なくていい！ あぁ，二日酔いを経験するたびにお酒を控えようと思うのに…。

▶**ソウマ** それで学習できたら，世の中のお酒の売上は激減してると思います。

▶**福島** それもそうだな。

（ソウマの席からレシートが飛んで，所長の足元に落ちる）

▶**福島** あ，私が取りましょう

（所長，レシートを拾う）

▶**福島** え？ ええ！？

▶**ソウマ** どうしました？

▶**福島** 一瞬，二日酔いで幻覚が見えたかと思ったよ。

▶**ルル** どんなレシートですか？

領収書

[販売]
レターパックプラス(520)
　　520 円　　1000 枚　　　¥520,000

合計　　　　　　　　　　　　　¥520,000

お預かり　現金　　　　　　　　¥520,000

取扱日時：20XX 年 11 月 20 日 13：45
〒100-87XX 日本郵便株式会社
連絡先：東京郵便局
TEL：0570-123-456

▶**ソウマ**　レターパック1,000枚。確かに1,000枚です。幻覚ではありません。

▶**ルル**　1,000枚ってすごい大量ですね！

▶**福島**　これは誰のレシートですか？

▶**ソウマ**　セミナー講師の岸本さんです。

-------------------------------- （電話が鳴る） --------------------------------

▶**福島**　はい…。

▶**岸本**　あ，所長みずから電話に出た！　さすが師走。師匠も走る季節ですね〜。

▶**福島**　そうですね〜。

▶**岸本**　ちょっと教えてほしいことがあるんです。

▶**福島**　はい，なんでしょう？

▶**岸本**　今月，セミナーのDVDを発売して，ありがたいことに大量に売れてるんですよ。

▶**福島**　それは嬉しいニュースですね。ちなみにどのくらい売れました？

▶**岸本**　今月だけで1000枚は売れる見込みです。先月中にレターパックを大量に購入しておいてよかったですよ

▶**福島**　ちょうどレターパックのレシートを見ていたところですよ。

▶**岸本**　そうでしたか！　で，質問なんですけど。

▶**福島**　おっと，そうだった。

▶**岸本**　DVDの販売って，年内に発送したら，年内の売上って考え方で正しいですか？

▶**福島**　はい，そのとおりです。

▶**岸本**　うちは12月28日で年内の仕事を終わりにするんですけど，29日以降に振り込まれた分の発送が年明けになったら

それは来年の売上でOKですか？

▶**福島**　そうなります。

▶**岸本**　わかりました。ありがとうございます！

▶**福島**　というわけで，レターパック1,000枚は年内に使い終わる見込みだそうです。

▶**ソウマ**　では，このレシートはそのまま経費でOKですね？

▶**福島**　はい，堂々と経費に入れられます。

▶**ルル**　もし年末に残っていたら，経費にしてはいけないのですか？

▶**福島**　基本的にはそうなります。特にこれくらい大量購入の場合は，販売用の商品と同じように，商品の棚卸と同様の管理をした方がよいですね

▶**ルル**　これって，10枚くらいでも同じようにするのですか？

▶**福島**　例えば，毎月10枚くらいというように，定期的に買っているような場合は買ったときの経費とし，わざわざ棚卸と同様の処理は不要です。

▶**ソウマ**　極端な話，毎月1,000枚買っていたら，それもOKですか？

▶**福島**　毎月1,000枚買っていれば，毎月1,000枚くらい使っていると考えるのが自然ですからね。

▶**ソウマ**　わかってきました。つまり，年末に経費を増やそうとして，普段使わないレターパックを突然1,000枚買ったような場合は，今年の経費にはならないということですね！

▶**ルル**　すごい，ソウマくん頭いい！！

▶**福島**　そのとおり。そのうち使うだろうということで，年末

に来年分をまとめ買いしてもダメですよ，というお話です。

▶ソウマ　あと，さっきの電話の話で質問です。

▶福島　はい，どうぞ。

▶ソウマ　DVD代を支払う立場だったとして，年内にお金を払っても，年内にDVDが届かなかったら，経費にならないのですか？

▶福島　そうなりますね。年内にDVDを見られる状況にないので，経費とはいえません。

▶ルル　大量購入でなくても，年末の支払は注意が必要なのですね。「年内にお金を払って，届くのは年明け」というケースは要注意，と。

▶福島　余談になるけど，レターパックや切手を使った不正って知ってる？

▶ルル　不正の方法を教えてもいいんですか？

▶福島　もちろんよくありません。まあウチの顧問先は大丈夫だと思うけど，こういうことがあったら注意だよ，という意味で。

▶ソウマ　大量購入がヒントですか？

▶福島　そうです。

▶ソウマ　うーん。大量購入で不正…。

▶ルル　先生，ヒント！

▶福島　早い！　大量購入したら，普通は遅かれ早かれ使いますよね。でも…。

▶ソウマ　あ！　わかった！

▶福島　はい，ソウマくん。

▶ソウマ　大量にレターパックを買って，年内に使ったことにして，実際はチケットショップに売るとか！？

▶**福島**　そうです。従業員の不正行為の一例なんですが，大量に切手類を購入して，会社で使わずに勝手にチケットショップに持ち込んで換金して，自分のお金にしてしまうという不正があります。

▶**ルル**　怖いですね…。

▶**福島**　切手類を大量に購入していて，本当にそれだけ使っているか怪しいケースは注意が必要です。

▶**ソウマ**　会計データをきっかけに従業員の不正が発覚，ということもあるのですか？

▶**福島**　可能性としてはありえますね。

▶**ルル**　社長がやってもダメですよね？

▶**福島**　もちろんダメです。

領収書の名義と経費

▶**ソウマ** 先生，ちょっとよろしいですか？

▶**福島** なんでしょう？

▶**ソウマ** パンダが好きな高瀬さんが，領収書にパンダのメモ帳でメッセージを付けてきてるんです。

▶**ルル** さすがパンダ大好き高瀬さん。メモ帳もパンダのイラスト入りだ！

▶**福島** ブレないね～。

▶**ソウマ** それで，メッセージの内容ですが…

▶**福島** おっと，話を戻そう。ソウマくん，今まで領収書の名義って気にしたことありますか？

▶**ソウマ** 言われてみれば，気にしたことないですね…。

▶**ルル** 宛名のない領収書も気にせず経費にしてました。

▶**福島** ですよね。税務の世界では，領収書の名義については，厳密な規定はありません。

▶**ソウマ** でも，会社での経費精算だと，宛名とか領収書の種類とか厳密に決まっている場合がありますよね。

▶**福島** それは，あくまで社内の規定ですね。会社として経費精算ができる方法を厳密に決めることで，業務の標準化を図ったり，無駄な経費や不正な経費の精算を防いだりしているのでしょう。

▶**ルル** では，確定申告や税務の世界では，「領収書の名義そのものよりも，支払った内容を重視する」という考え方でいい

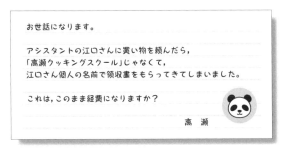

のでしょうか？

▶**福島**　そうですね。確定申告や税務の世界では，実際の内容が一番重要です。もちろん名義が事業主や屋号になっていることも大事な要素の１つではありますが，それがすべてではありません。

▶**ソウマ**　今回は，単純に書いてもらう名前が事業主ではなかった，という事例ですが，契約者が事業主でない場合も大丈夫なんですか？

▶**ルル**　え？　どういうこと？

▶**ソウマ**　例えば，自宅兼事務所を使っているとき，自宅の賃

賃契約者が家族名義になっている場合はどうなんでしょうか？

▶**福島**　よい目のつけどころですね！

▶**ルル**　ソウマくん，冴えてる！

▶**福島**　同居している家族が契約者の場合，という前提でいえば，結論は経費にしてOKです。

▶**ソウマ**　前の領収書の件と同じで，現実として自宅の一部を事務所にしていればOKという流れですね。

▶**福島**　そういうことです。

▶**ルル**　じゃあ，私達は名義の部分は無視して考えていればいいのですね！

▶**福島**　ところが，話はそう簡単じゃないのです。

▶**ルル**　え～！？

▶**福島**　特に注意が必要なケースをお話しますね。

▶**ソウマ**　どんなケースですか？

▶**福島**　不動産の賃貸収入がある場合です。

▶**ルル**　事業を行いつつ，賃貸用アパートを持っていて家賃収入があるような場合ですね。

▶**福島**　そうです。この場合，家賃収入は必ず建物の名義人の収入にしなければなりません。

▶**ソウマ**　本人と親で半分ずつの共有なら，本人と親で半分ずつの収入，ということですね？

▶**福島**　そうなります。

▶**ルル**　親は事業を行っておらず，いちいち申告するのが面倒だから，全部子供（本人）の収入にしちゃえ！　ってのはダメなんですね。

▶**福島**　ダメです。ここだけは名義や持ち分を厳格に反映させる必要があります。

▶ ﾙﾙ　どちらかで全額収入にしてるんだから，いいじゃないって思うんですけど…。

▶ **福島**　それをＯＫにしてしまうと，家族間でうまく収入を調整して，トータルでの税金を安くする工夫ができてしまうのです。

▶ **ｿｳﾏ**　いろんなことを考える人がいますからね。

交通費の記録方法

▶**ソウマ**　なんじゃこりゃぁぁぁ！！！

▶**ルル**　どうしたの？

▶**ソウマ**　鉄道ライターの市岡さんからの領収書にこのコピーが混ざってたんだ。

▶**ルル**　なになに？

▶**ソウマ**　入場券ときっぷのコピーだよ。しかも，ご丁寧に使用済みのスタンプを押してもらっている。

▶**ルル**　旅費って意味なのかな。

▶**ソウマ**　本人に電話して聞いてみよう。

▶**市岡**　こんにちは。ソウマさん。

▶**ソウマ**　お久しぶりです！　ところで，先日いただいた資料の中に入場券のコピーが入っていたんですけど。

▶**市岡**　あぁ，そうそう。駅の入場券って経費になりますか？

▶**ソウマ**　え？　入場券ですか？　何のために買ったかによりますけど…。

▶**市岡**　令和コスタ行橋駅に行った記念に買ったんです！

▶**ソウマ**　は，はあ…。

▶**市岡**　令和の名前がつく駅ができた記念に，平成駅から令和コスタ行橋駅まで旅行するっていう記事を書いたんです。

▶**ソウマ**　では，入場券も記事の中で登場するんですね？

▶**市岡**　もちろんです！　それで，あれがああでこれがこうで（延々10分旅行の話を語る）。

▶**ソウマ**　あの〜，入場券も旅費も全部経費でOKですよ。

▶**市岡**　やった！

▶**ソウマ**　は，はい。あと，平成駅まで行く交通費と令和コスタ行橋駅からの帰りの交通費も大丈夫ですよ。

▶**市岡**　ありがとうございます！

- -

▶**ソウマ**　ふぅ…。

▶**ルル**　お疲れさまでした。

- - - - - - - - - - - - - - - - - - （事務所の電話が鳴る）- - - - - - - - - - - - - - - - -

▶**ルル**　（ナンバーディスプレイを見て）音楽教室の高木さんからだ。

▶**高木**　あ，ルルちゃんこんにちは〜。

▶**ルル**　こんにちは。いつもお世話になります。

▶**高木**　交通費で質問なんですけど。

▶**ルレ**　まさか高木さんも入場券！？

▶**高木**　え？　何のこと？

▶**ルレ**　あ，いえ，なんでも…。

▶**高木**　今までって仕事の移動はほとんど車だったんだけど，今度電車の移動が多い仕事が出てきたのね。

▶**ルレ**　はい。

▶**高木**　その場合，電車代の記録ってどうしたらいいのかなって思って電話したんです。

▶**ルレ**　なるほど。電車に乗る回数ってどのくらいですか？

▶**高木**　週に１回Ａ駅からＢ駅まで行って，そこから乗り換えてＣ駅まで。その往復ってのが基本です。

▶**ルレ**　その場合でしたら，エクセルで記録するのが早いので，見本のファイルを送りますね。

▶**高木**　ありがと〜！

【交通費精算書　20XX年11月分】

利用年月日	入場駅	出場駅	金額	メ モ
20XX/11/20	Ａ駅	Ｂ駅	180	
20XX/11/20	Ｂ駅	Ｃ駅	220	
20XX/11/20	Ｃ駅	Ｂ駅	220	
20XX/11/20	Ｂ駅	Ａ駅	180	
合　　計			800	

▶**福島**　今日は交通費の話が多いねぇ。

▶**ソウマ**　えぇ，そうですね。

▶**福島**　２人とも，交通費の記録方法として思いつくことって，どんなことがある？

▶ ルル　飛行機や新幹線だと，領収書が出てくるので話は単純ですね。

▶ 福島　そうだね。むしろ細かい移動をたくさんしているケースのほうが難しいかと。

▶ ルル　さっき高木さんに渡したような集計表に記録するのが無難でしょうか？

▶ 福島　数が少なければ，それもよいですね。

▶ ソウマ　月に1〜2往復だったら，集計表を作るまでもなく，メモ書きや出金伝票でもいいですか？

▶ 福島　そうですね。単純に「2月25日　A駅〜B駅往復　合計520円　X社打ち合わせ」くらいの記載でよいでしょう。

▶ ルル　他にも方法はありますか？

▶ 福島　交通系ICカードでたくさん移動している人なら，他の方法もありますね。何か思い浮かぶことはありますか？

▶ ソウマ　翻訳家の野中さんは，駅でICカードの履歴を印字してきてくれますね。

▶ 福島　そうそう，自分で書かなくてももちろんOKです。

▶ ルル　通販業の浅倉さんは，ICカードをカードリーダーに通してCSVファイルにしてます。

▶ 福島　それもよいですね。

▶ ソウマ　大体こんなところですか？

▶ 福島　私自身が行っている方法も紹介しましょう。

▶ ルル　どうしているんですか？

▶ 福島　交通系ICカードをクラウドソフトと連動して履歴を取っているんですよ。

▶ ルル　クラウドソフトが使える人はそれもいいですね。

▶ 福島　あとは，ICカードが使えずに現金払いのときの小さ

なテクニックを。

▶ **ソウマ**　どんなものですか？

▶ **福島**　切符を買ったらそれを写真に撮るんです。その画像をプリントすれば領収書の代わりとして使えます。

▶ **ソウマ**　なるほど！

▶ **ルル**　ところで，ICカードでたくさん乗る場合，チャージ代を経費にするという方法はダメなんですか？

▶ **福島**　それは注意が必要ですね。

▶ **ソウマ**　すべてが交通費とは限らない，ということですか？

▶ **福島**　そうです。プライベートの移動もありますし，買い物で使うこともあるでしょうから，純粋な経費を拾い出さないといけないですね。

▶ **ルル**　電話代みたいに80％経費とか，部分的に経費にする方法はどうですか？

▶ **福島**　まあ，実務的にはそうしているケースもあるでしょうね。どのくらいの割合で経費が含まれているか，という考え方が重要です。

仮装・隠蔽<ruby>隠蔽<rt>いんぺい</rt></ruby>は絶対ダメ！！

▶ **ソウマ**　んんん？？？

▶ **ルル**　どうしたの？

▶ **ソウマ**　これ，どう思う？

▶ **ルル**　鉄道ライターの市岡さんの領収書ね。んー…。

▶ ﾙﾙ　同じお店で領収書を4枚もらってるのね。

▶ ｿｳﾏ　でも日付が入ってない。

▶ ﾙﾙ　同時に買ってるのかな？

▶ ｿｳﾏ　左上のナンバーが続き番号になっているから，同時に発行してもらってるね。

▶ ﾙﾙ　お品代としか書いてないから，何を買ったか分からないね。

▶ ｿｳﾏ　怪しいなぁ…。市岡さん，そういうことするタイプじゃないと思うんだけどな。ひとまず本人に聞いてみよう。

▶**市岡**　こんにちは，ソウマさん。

▶**ソウマ**　ちょっと教えてほしいんですけど，最近高価な鉄道模型をまとめ買いしましたか？

▶**市岡**　え？　最近は仕事が忙しくて，全然買いに行く時間がないですよ～。

▶**ソウマ**　そうですか…。先日お送りいただいた，VITAMEEというお店の領収書なんですけど。

▶**市岡**　ああ，それは新しいパソコンを買ったんです。たしか30万ちょっとだと思いますけど。

▶**ソウマ**　こちらには領収書が4枚あって，合計で30万ちょっとになっていますね。

▶**市岡**　なんかね，私もよくわからないんですけど，「こうしたら節税になる」ってお店の人が何枚かに分けて発行してくれたんです。

▶**ソウマ**　ふむふむ。では，市岡さんはよくわからないままこの領収書をもらってきただけですね。

▶**市岡**　はい。

▶**ソウマ**　大変失礼ですが，変なことしようとか考えてませんよね。

▶**市岡**　もちろんです！　変なことしてまで節税したいとは思いませんので，正しい方法でお願いします！

▶**ソウマ**　よかったです！　ではこれで進めていきますので。

▶**市岡**　ありがとうございます。

▶**ソウマ**　というわけでして，困った店員さんがいるものですね。

▶**福島**　ずいぶんだねぇ。ちなみに，これがどうして節税になるのかはわかる？

▶**ルル**　本当は30万円以上のパソコンを買ったのに，10万円未満の領収書にして，減価償却が不要なものを買ったようにごまかしているんですよね。

▶**福島**　そのとおり。もちろんこんなことをしてはなりません。今回は市岡さんが正直者でよかった。

▶**ルル**　過去最大級のトンデモ領収書がでてきましたね！

▶**ソウマ**　まったくです。ところで，こういうことが税務調査で見つかったらどうなりますか？

▶**福島**　仮装・隠蔽にあてはまって，重加算税ですね。

▶**ルル**　そうか，これは立派な仮装ですね。

▶**福島**　そうそう。お店の人と組んで事実と違う領収書をわざと作った，ということになれば，完璧に仮装ですね。

▶**ソウマ**　そして，重加算税という税金を支払うと。でも，このケースの場合，ペナルティの税金自体はたいしたことないですね。

▶**福島**　しかし，このケースでは，税金の金額以上に恐ろしいことがあるんですよ。

▶**ルル**　えええ？

▶**福島**　重加算税を払った人は，国税庁の中で「第3グループ」というところに入れられてしまう。

▶**ソウマ**　第3グループってなんですか？

▶**福島**　簡単に言えば，要注意の人という意味で，その後の税務調査の頻度があがります。

▶**ルル**　怖いですね…。

▶**福島**　言うまでもないけど，ウソはいけませんという話です

ね。

▶**ソウマ**　他にも仮装・隠蔽の例ってありますか？

▶**福島**　そうですね，よくある事例としては，売上の一部を隠すというのがありますね。

▶**ルル**　どうするんですか？

▶**福島**　例えば，個人経営の飲食店で，売上が本当は10万円あったのに，８万円，と記録するような感じですね。

▶**ルル**　ちょっとくらいだと，税務署も見抜くのが大変ですね。

▶**福島**　そうですね。少額だとミスなのか意図的なのかわかりにくい部分もありますが，継続的に金額を少なくし続けると，バレますね。例えば，仕入の金額とのバランスが悪くなったりとか，割り箸などの消耗品とのバランスをみたりとか。

▶**ソウマ**　税務調査ってそこまでやるんですか？

▶**福島**　めったにありませんが，悪質なケースなら徹底して事実を確かめにきますよ。

▶**ルル**　他にも仮装・隠蔽の例はありますか？

▶**福島**　昔聞いたことのあるケースだと，他人の領収書を混ぜるというのがありますね。

▶**ソウマ**　どういうことですか？

▶**福島**　ある事業主が，友人の会社員から，飲み代の領収書をもらうんです。

▶**ルル**　なるほど！　って感心しちゃいけないけど，自分が参加してなければ支払ってもいない飲み会の領収書をもらってきて，交際費を水増しするんですね。

▶**福島**　そうです。ただし，これもやりすぎると毎日のように飲食して歩いてることになるので，ボロがでます。

▶**ソウマ**　ですよね。

▶**福島**　私が立ち会った税務調査ではこういうケースはありませんが，調査官からの質問に答えられなかった人がいたとかいないとか…。

▶**ルル**　当たり前の結論になりますけど，ごまかしはいけませんってことですね。

▶**福島**　結局（言うは易く行うは難しだけど）経営ってのは，できる節税はするけど，基本はしっかり利益を出して税金を払って，残ったお金をストックするなり次への投資に回すことが大事なんです。新型コロナウイルスの影響についても，お金が手元にある人ほど耐えられるという事実がありますからね。

▶**ソウマ**　そうですね…。

第2部

個人事業者・フリーランスが
おさえておきたい税金の話

第6章

開業まもなくても
やっておきたいこと

収入 印紙	内　　訳
	税抜金額
	消費税等

　確定申告というと，利益が出てから取り組むもの
というイメージがあるかもしれませんが，その前に
行っておかないと取り返しがつかないことがありま
す。ここでは，最初に行っておきたい手続きなどを
紹介します。

開業のタイミングっていつ？

フリーランスのくるみさん，友人のことを相談する。

▶**くるみ**　先生，ちょっと聞いてくださいよ！！

▶**福島**　ずいぶんご機嫌ななめですね。どうしましたか？

▶**くるみ**　私の友人が起業を検討してるんですよ。

▶**福島**　それはめでたい話じゃないですか。

▶**くるみ**　でもね，「確定申告の準備は早めにやっておいたほうがいいよ」と言っても，全然聞いてくれないんです。

▶**福島**　なるほど，よくある話ですね。ちなみにその方，どんな反応をしましたか？

▶**くるみ**　確定申告は，利益が出るようになってから準備するから大丈夫って。

▶**福島**　なるほど。では，「利益が出る前にやらないと損することがある」って伝えたらどうでしょう？

▶**くるみ**　え？　そんなことがあるんですか？

▶**福島**　あるんですね。これが。

▶**くるみ**　どのくらい損するんですか？

▶**福島**　ずいぶん前のめりですねぇ。

▶**くるみ**　私は友人が心配で心配でしょうがないんです。

▶**福島**　くるみさん，アネゴ肌ですね。

そもそも開業とはいつをいうのか？

▶**福島**　くるみさん，先ほど「確定申告の準備は早めにやっておいたほうがいい」と言いましたね。

▶**くるみ**　はい。

▶**福島**　では，早めとはいつですか？？

▶**くるみ**　え？　えーと，その，早ければ早いほうが…。

▶**福島**　確かに，早ければ早いほうがよいというのは，間違ってはいないですね。では，具体的にいつどのような手続きがあるでしょう？

▶**くるみ**　開業したときに税務署に届出をすることですよね。

▶**福島**　その通り！　では，開業したときとはいつでしょう？

▶**くるみ**　うーん…。そういわれてみると，考えたことなかった。

▶**福島**　では，くるみさんは，いつ税務署に開業届を提出しましたか？

▶**くるみ**　会社を辞めて独立したときです。

▶**福島**　そうですね。ところで，先ほどのお友達も同じように会社をやめて独立しましたか？

▶**くるみ**　ちょっと違いますね。出産して子どもが少し大きくなって，時間ができたから，勤めに出る代わりに自分で事業をはじめようかなって考えているところです。

▶**福島**　なるほど。どのような事業ですか？

▶**くるみ**　ヨガの教室です。

▶**福島**　もしかして，自宅の一室を教室にして，最初は無料からはじめて，徐々に有料へと移行する計画だったりしませんか？

▶**くるみ**　せ，先生…。どうしてそこまでわかるんですか！？

▶**福島**　そういうケースの相談をよく受けるので

　最近では，「ここからスタート！」という明確なスタートが
ないまま起業するケースが時々みられます。そのような場合を
含めて，ここで開業した日についてまとめます。

> ①　店舗や教室，事務所など，具体的な施設をオープンし
> た日
> ②　開業届に記入した日（自分で「今日から開業する」と
> 決めた日）
> ③　売上が1円でもあがった日

　基本的には①または②ですが，どちらもハッキリしない場合
は，一番遅い基準の開業の日として，③で判定します。

▶**くるみ**　では，この方法で開業の日が決まったら，そのタイ
ミングで税務署に開業届を提出すればいいのですか？

▶**福島**　そういうことです。

▶**くるみ**　もし開業届を出し忘れたらどうなるのですか？

▶**福島**　何も起こりません。単純に，利益が出ていれば申告す
る義務はある，というだけです。

▶**くるみ**　開業届を出しても出さなくても，利益が出たら申告
の義務はあるのですね。

▶**福島**　はい，そうなります。逆にそうでないと，税金を払い
たくない人は開業届を出さなくなりますからね。

▶**くるみ**　そうか。「開業届を出さなければ税金を払わなくて

いい」ってことになったら大変ですもんね。

売上が少なくても行っておきたい手続き

▶**くるみ**　でも先生。開業届を出しても出さなくてもいいなら,利益が出るまで放置しても,結論は同じって考えじゃダメなんですか?

▶**福島**　ダメです。

▶**くるみ**　え?

▶**福島**　計算方法の手順は同じなのですが,特典の有無が変わってくるのです。

▶**くるみ**　そういう話を待っていたんです!!!

特典がいっぱいの青色申告には申請期限がある

▶**福島**　くるみさんは,青色申告の申請をしていますよね?

▶**くるみ**　はい,青色申告を選んだほうがいいですもんね。

▶**福島**　具体的なメリットはなんだか知ってますか?

▶**くるみ**　税金が安くなる!

▶**福島**　そうですね。青色申告特別控除というものがありますからね。

▶**くるみ**　経費を増やしていい,というものですね。

▶**福島**　特別控除額(経費を増やしてよい金額)は,次のようになります。

特別控除額（経費を増やしてよい金額）は次の①〜③のいずれか

①　青色申告をする人なら誰でも … 10万円
②　会計ソフトを使って正式な帳簿をつける … 55万円
③　②に加えて電子申告をした場合 … 65万円

　この金額は2020年分以降の確定申告で適用されます。これ以外に，第3章で紹介した少額減価償却資産も青色申告限定の特典があります。他にも特典はありますが，ここでは省略します。

　ところが，これらの特典が受けられる青色申告をするためには，期限までに「青色申告承認申請書」を提出する必要があります。申請期限は次のとおりです。

（1）　起業した年：開業の日から2か月以内

▶**くるみ**　これはシンプルですね。

▶**福島**　先ほど説明した「開業の日」から2か月以内となります。2か月を超えてしまうと，もう受けられません。

▶**くるみ**　だから書類の提出は急がなければならないのですね。

▶**福島**　そうですね。具体的には次の図のようになります。

〔X1年1月1日に開業した場合〕

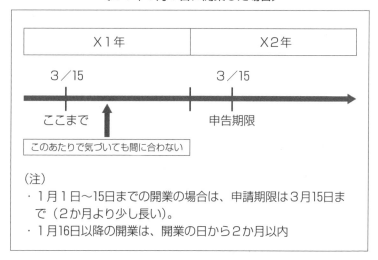

▶**福島**　実際，この2か月の期限を過ぎてから私のところに相談に来るという事例は，毎年何人かいらっしゃいます。

▶**くるみ**　その場合はどうなるのですか？

▶**福島**　白色申告をするしかないですね。

▶**くるみ**　次の年から青色にはできるのですか？

▶**福島**　はい，次のチャンスはあります。

▶**くるみ**　さすがに一生白色申告というわけではないのですね。

▶**福島**　ところが，2年目以降も注意が必要です。

(2)　2年目以降：その年の3月15日まで

▶**くるみ**　え？　よくわからないんですけど

▶**福島**　これは文章では伝わりにくいので，図で説明しましょう。先ほどの続きです。

〔X1年1月1日に開業した場合〕

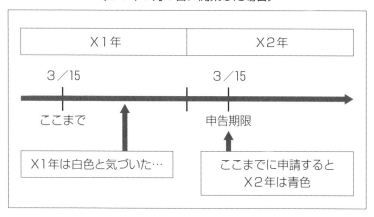

▶**福島** X1年の夏ごろに,「もう今年は青色申告に間に合わない!」と気づきました。

▶**くるみ** あぁ,かわいそう…。

▶**福島** だから,X2年からは青色にしたいと考えました。

▶**くるみ** 当然そうなりますよね。

▶**福島** その際には,X2年の3月15日までに青色申告の承認申請をしなければなりません。

▶**くるみ** はい。…って,ええ!?

▶**福島** 気づきました?

▶**くるみ** 申告書の提出期限より1年早くないですか?

▶**福島** その通り! するどいですね。X2年分の申告書の提出期限であるX3年3月15日に青色申告の申請をしてもダメなんです。

▶**くるみ** これ,怖いですね。

▶**福島** 実際の流れとしては,「X1年分」の申告書を提出するとき(X2年3月15日まで)に「X2年以降」の青色申告

の申請をする，というようになるのですね。

▶**くるみ**　うっかり2年目も期限を過ぎないように気をつけないといけませんね。

第7章

最後まであきらめない！
３か月前から申告期限までの
税負担を減らすテクニック

印収紙入	内　　訳	
	税抜金額	
	消費税等	

　予想以上の売上があがると嬉しいですが，税金が心配になりますね。そんなときに知っておきたいテクニックをお伝えします。

▶**くるみ**　先生，大変なんです！！　相談にのってください！！

▶**福島**　どうしましたか？

▶**くるみ**　ありがたいことに，最近仕事が増えてきたんです。

▶**福島**　良いことじゃないですか。

▶**くるみ**　仕事が増えたのは良いのですが，このままでは来年の税金がいくらになるのかが心配で心配で…。

▶**福島**　まずは来年の税金がいくらかかるのか，計算してみましたか？

▶**くるみ**　あ，その…。

▶**福島**　うちの事務所に素直に確定申告を依頼していれば，10月～11月くらいには来年の税額を予測しますので，バッチリ先を見通せますよ。

▶**くるみ**　どさくさに紛れて先生の事務所の宣伝しないでください！　まあ，いつかはちゃんと頼もうと思ってますけど。

▶**福島**　先がわかったところで覚悟はできますが，減らせるものなら減らしたい，ですよね。

▶**くるみ**　そうそう，さすが先生，話がわかる！！

▶**福島**　では，代表的なテクニックをいくつか紹介しましょう。

老後の備えと節税を同時に行う！

▶**福島** まずは個人事業者の節税の代表的なものから。

▶**くるみ** はいっ！！

▶**福島** 個人事業者は退職金もないし，老後の備えが大事ですよね。

▶**くるみ** まあ，そうですけど，それって節税と関係あるんですか？

▶**福島** 老後の備えとなる資金，欲しいですよねっ！

▶**くるみ** あ，うーん，まだ私若いですし，そんな先のことは。

▶**福島** 「はい」って言ってくれないと，この章ここで終わりにしますよ。

▶**くるみ** それは読者さんが困るから…。はい！　老後の資金，大事です！！

▶**福島** では，老後資金の積立をはじめましょう。

▶**くるみ** え？　先生，保険の勧誘ですか？

▶**福島** 実は，老後資金の積立と節税が同時にできる方法があるのです。

▶**くるみ** そういうことですか！！

▶**福島** 特に有効なのが，小規模企業共済と，個人型確定拠出年金（iDeCo）です。

▶**くるみ** 言葉は聞いたことがありますね。

小規模企業共済とiDeCoが節税になる理由

▶**くるみ**　でも，なんで節税になるんですか？

▶**福島**　それは，掛金が経費と似た扱いになるからです。

▶**くるみ**　どういうことですか？

▶**福島**　正確には経費ではないのですが，なんと掛金の全額が所得控除の対象となるのです。

▶**くるみ**　すごいっ！！　ところで，所得控除ってなんでしたっけ？

▶**福島**　第1章（4ページ）の「確定申告（所得税計算）7つのステップ」に戻りましょう。この中の「(3)所得控除の計算」に書いていませんでしたが，「小規模企業共済等掛金控除」というものが入ります。

▶**くるみ**　ダイレクトな名前ですね。ここに入るということは？

▶**福島**　掛金×税率だけ税金が安くなります。具体例を挙げてみましょう。

月の掛金を2万円とすると
年間の掛金　2万円 × 12月 ＝ 240,000円
税率を20%とすると
240,000円 × 20% ＝ 48,000円

▶**くるみ**　確かに税金が減っている！　しかも定期預金の利率より節税金額のほうが大きい！

▶**福島**　そうなんです。最近は預金の利率が低いため，定期預金で備えるくらいなら，小規模企業共済かiDeCoに入った方

がよいのです。

▶**くるみ**　でも，途中で解約はできないんですよね？

▶**福島**　どちらも，原則として老後まで解約できないと考えてください。ですので，**非常用の資金は別に備えた上での加入**という位置づけとなります。

小規模企業共済は1年分の前払ができる

▶**くるみ**　それぞれの違いはどのようなところですか？

▶**福島**　まず小規模企業共済の最大の特徴は，1年分の前払ができることです。

▶**くるみ**　前払だと何かメリットがあるのですか？

▶**福島**　例えば12月上旬に加入して1年分（12月から来年11月まで）を前払すると，この全額が今年分の確定申告に反映できるのです。

▶**くるみ**　おおっ！　年末でも間に合う節税ですね！！

▶**福島**　そうです。ただし，本当にギリギリでは，手続上間に合わなくなるので，10〜11月には加入手続きを済ませておきましょう。

iDeCoは運用益が期待できる

▶**くるみ**　iDeCoには前払はないのですか？

▶**福島**　こちらは月額払いのみです。

▶**くるみ**　じゃあ10月頃に加入しても，節税の効果は少ないですね。

▶**福島**　そうですね。その代わり，こちらは運用益が小規模企

業共済より高くなる可能性があるというメリットがありますので，長い目で見たときには良い選択肢ですよ。

▶**くるみ**　来年以降の節税を考えたら，良い選択肢ということですね。

▶**福島**　そうです。ただし，小規模企業共済は掛金を払えばおしまいなのに対して，iDeCoは掛金をどのように運用するかを自分で決める必要があります。

▶**くるみ**　え？？　ワタシ，トウシ，ワカリマセン…。

▶**福島**　そこは基本的なことを勉強する必要がありますね。具体的な話には踏み込みませんが，ある程度基本的なことがわかれば，効果は期待できると考えられます。

▶**くるみ**　基本的っていっても難しいんでしょ？

▶**福島**　難しいか簡単かは個人差がありますが，毎日株価を見て，というような性質ではなく，基本的な手続きをしておけば，その後は年に１～２回気にするくらいでよいという考え方もあります。

▶**くるみ**　なるほど，ムチャクチャ手間がかかる，というほどではないみたいですね。

▶**福島**　最後に，それぞれの違いをまとめておきますね。

【小規模企業共済とiDeCoの違い】

	小規模企業共済	iDeCo
掛金	月1,000円〜70,000円	月5,000円〜68,000円 （自営業者の場合）
前払	1年分可能	不可能
受け取れる 年齢	65歳以上 （廃業した場合は、廃業時）	60歳以上
運用益	1.21% （2015〜2019年平均）	運用方法による
運用先	選べない	自分で決める
投資の知識	必要なし	基本を勉強する必要あり

税金や社会保険の支払順序で 税金が変わる？

▶**くるみ**　先生，所得控除つながりで相談なんですけど。

▶**福島**　はい，なんでしょう？

▶**くるみ**　さっき，小規模企業共済で来年分の前払をした場合，支払った年分の申告に反映できるってありましたよね？

▶**福島**　そうですね。ここは事業の経費とは考え方が違うところです。

▶**くるみ**　社会保険でも同じことができたりしませんか？

▶**福島**　できますよ。特に効果の大きいケースで見てみましょう。

来年分の社会保険料20万円を前倒しで払う

今年の最大税率が40%の場合…20万円×40％＝８万円
来年の最大税率が20%の場合…20万円×20％＝４万円

差引４万円の節税！

▶**くるみ**　今年と来年の税率の違いが大きいですね。

▶**福島**　今年に臨時の仕事があって，今年だけ突出して利益が大きい場合などを想定しています。

▶**くるみ**　利益の大きい年にまとめて払ってしまえ，という発想ですね。

▶**福島**　そういうことです。国民年金は制度として２年分の前払もありますので，このようなケースでは特に有効です。

▶**くるみ**　あまり良い話ではないですが，過去の未払があるケースはどうなりますか？

▶**福島**　未払分を今年支払えば，今年分の申告に反映できますので，今年分の節税に有効ですよ。

▶**くるみ**　いつかは払うべきものなら，利益の大きい年に集中支払ですね！

▶**福島**　では，ここで今までの話のまとめとして，問題を解いてみましょう。

▶**くるみ**　うげっ，テストですか！？

▶**福島**　まあまあ，気楽に構えてください。

手元に次の支払用紙があります。節税効果を最大にするには，どれを優先して支払ったらよいでしょう？

① 　過去の未払分の国民年金　20万円

② 　２年分の国民年金前払分　40万円

③ 　来年１月が支払期限の固定資産税　10万円
（事業用資産にかかるもの。今年の４月に支払用紙が届いている）

④ 　来年１月末が支払期限の住民税　10万円

▶**くるみ**　①と②は，今の話で，今年払えば今年の節税ですよね。

▶**福島**　そうです。効果はどちらも同じです。ただ，優先順位としては，期限がきている①を優先したほうがよいでしょう。

▶**くるみ**　④はそもそも税金に影響がないですか？

▶**福島**　正解！　住民税は経費にならないので，節税効果はありません。1月に支払ってもよいですね。

▶**くるみ**　③は，今年中に払えば今年の経費ですか？

▶**福島**　ここがひっかけ問題です。

▶**くるみ**　そうですよね，そんなにすんなりとは終わらないですよね。

▶**福島**　まあまあ，すねないで。これは第3章（46ページ）で解説したのですが，請求が来た時点で経費にできるので，支払が1月になったとしても，今年の経費にできるのです。

▶**くるみ**　じゃあ，支払うまでもなく節税効果があるのですね！

▶**福島**　そういうことです。ここまでの話をまとめると，**支払の優先順位は① → ② → ③・④（③と④は同じ順位）**です。

年末のまとめ買いは
どこまで有効？

▶**くるみ**　要は節税するには，経費とか所得控除を増やせばよいのですね？

▶**福島**　基本的な考え方はそういうことです。

▶**くるみ**　じゃあ，年末に経費になるものをまとめ買いするのはどうですか？

▶**福島**　良い場合も悪い場合もあるので，事例を見てみましょう。

① 20万円のＰＣを購入（青色申告の場合）

▶**くるみ**　これは，買った年の経費になりますよね。

▶**福島**　はい，第３章で説明した，少額減価償却資産になりますので，今年の経費です。

② 180万円の車を12月に購入・納車

▶**くるみ**　12月に納車になったから，減価償却は12月の１か月分だけですね。

▶**福島**　仮に新車とすれば，耐用年数は６年なので，今年の減価償却費は…。

$$180万 ÷ 6年 × 1/12 = 25,000円$$

▶**くるみ**　たったの25,000円！？　しかもここに税率を掛け

るんですよね。

▶**福島**　これでは，節税した気になりませんね。

③ 欲しかった各種備品を合計20万円分購入（単品ではすべて10万円未満）

▶**くるみ**　単品で10万円未満ということは，減価償却の問題はないですね。

▶**福島**　そうですね。だから，結論として①と同じ節税効果です。

④ 商品仕入50万円分（年内に売れずに在庫が増加しただけ）

▶**くるみ**　え！？　これはどうなんでしょう？

▶**福島**　販売用のいわゆる商品は，売れたときにはじめて経費になるので，仕入を前倒ししても効果はありません。

⑤ レターパック20万円分（年内に使用していない）

▶**くるみ**　これもダメですか？

▶**福島**　この話は第5章（89ページ）で解説した通りです。

▶**くるみ**　③と⑤の違いってなんですか？

▶**福島**　③は備品なので，買った時点で使っているというのが前提です。レターパックは使っていないからダメ，という理屈です。

年が明けてもまだあきらめない！ 最後の手段

▶**くるみ**　年が明けたら，さすがにもうできることはないですよね？

▶**福島**　それが，あるんです。

▶**くるみ**　さすが先生！！

① 通帳やカード明細を見返す

▶**福島**　もう一度見返して，経費になるものを見落としていないかチェックしましょう。

▶**くるみ**　会計ソフト上で科目を間違っていないか，というところですね。

▶**福島**　単純ミスもあるでしょうし，勘違いもあるでしょう。また，通帳・カードといった場合には，**仕事用だけでなく，プライベートの通帳・カードも見返したほうがよいです。**

▶**くるみ**　どうしてですか？

▶**福島**　うっかりプライベートの通帳やカードで支払っていたものを経費に入れ忘れている可能性がありますので。

▶**くるみ**　なるほど！　そういえば，通帳の記入をサボっていると，合計額で記帳されることがありますよね。

▶**福島**　はい。１年分まとめて行おうとする人の失敗談，あるあるですね。**通帳だけは，年が明けたら速やかに記帳しましょう。**

▶**くるみ**　３月10日にあわててATMに行ったら…。

▶**福島**　理想は毎月きちんと集計して，経営に必要な資料として。

▶**くるみ**　さ，次へ行きましょう。

▶**福島**　……ちょっと待って！　ここは言わせてもらう！

▶**くるみ**　なんですか，往生際の悪い。

▶**福島**　ずいぶんだなぁ。定期的に売上や経費を集計することにはちゃんとメリットがあるんですよ。

・過去のことを思い出しやすい（時間が経って忘れてしまうのを防ぐ）。
・利益を早めに把握することで，納税資金の準備や節税対策ができる。

▶**くるみ**　たしかに，いいことありますね！

▶**福島**　でしょ。

② 過去のスケジュールを見返す

▶**くるみ**　過去を振り返ってどうするんですか？

▶**福島**　飲食費，交際費，交通費の計上漏れの確認です。

▶**くるみ**　領収書の出ない取引ですね。

▶**福島**　そういうことです。過去のスケジュールを振り返って，領収書をもらわなかった飲食費とか，交通費の計上漏れを確認するのです。

▶**くるみ**　そういえば，割り勘とか会費制の食事会で領収書がない場合は，どうするんですか？

▶**福島**　第2章（18ページ）で書いた通り，①日付，②金額，

③相手先（お店の名前），④内容（「飲食代」など）を記載したメモや出金伝票などを残しておきましょう。その会があったとわかる記録があるとより良いですね。

▶**くるみ**　記録ってどんなものですか？

▶**福島**　例えば，その食事の模様がブログやSNSに残っていたら，そこをキャプチャしてプリントするとかですね。

▶**くるみ**　節税もラクじゃないですね。

節税の落とし穴

▶**くるみ** 先生，節税で気になることがあるんですけど。

▶**福島** はい，なんでしょう？

▶**くるみ** 経費を増やせば利益が減りますよね。

▶**福島** はい。

▶**くるみ** そうすれば税金が安くなるのはわかります。

▶**福島** そうですね。

▶**くるみ** じゃあ，わざと無駄な飲み会を増やして経費を増やしても，節税になるのですか？

▶**福島** たしかに税金は減りますよ。

▶**くるみ** 税金「は」減りますよね。

▶**福島** お，気づいちゃいましたか？

▶**くるみ** 多分…。

▶**福島** なんでしょう？

▶**くるみ** そもそも，無駄遣いをしたら，節税してもお金が減りませんか？

▶**福島** そうなんですよ！ では，図で見てみましょう。

【節税と手元に残るお金の関係】

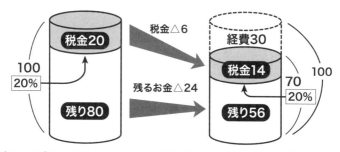

話をシンプルにするために，本来の計算と異なりますが下記の条件としました。
・利益に対して直接税金がかかるものとした。
・税率は一律20%とした。

▶**福島**　この図は，節税の話をわかりやすくするために，本来の計算をかなり簡略化しました。

▶**くるみ**　はい。

▶**福島**　まず図の左側を見てください。利益が100，税率を20%としたら，税金は20となり，手元に80のお金が残ります。

▶**くるみ**　そうですね。

▶**福島**　では，この状態で，無駄遣いして経費を30作りましょう。

▶**くるみ**　無駄遣い，ですね。

▶**福島**　すると右側のようになります。

▶**くるみ**　100−30で利益が70ですね。

▶**福島**　その70に税率20%をかけるから，税額は14。

▶**くるみ**　確かに税金は20から14に減りましたね。

▶**福島**　そういう意味では，6の節税に成功しているんです。

▶**くるみ**　でも，残ったお金も80から56になったから，24

減ってますね。

▶**福島**　そうなんです。**6の節税のために24の資金マイナス**です。

▶**くるみ**　つまり，**無駄遣いするより，堂々と税金を払ったほうが，手元にお金が残る**んですね？

▶**福島**　その通り！

▶**くるみ**　よくよく考えたら，この章で紹介した方法は，必要な支払というのが前提でしたね。

▶**福島**　そういうことです。仮に先ほどの図の経費30が必要なものであれば，結果として6の税金が減った，といえます。

▶**くるみ**　なるほど！

第8章

売上が1,000万円を超える前に 知っておきたい消費税の話

収入印紙	内　訳	
	税抜金額	
	消費税等	

　売上が1,000万円を超えたら消費税，ということはご存知の方も多いと思うのですが，ここでは具体的に「いつ」「いくら」支払うのか，そして支払金額を少なくする方法をお話します。

売上が1,000万円を超えたら すぐに消費税を支払う？

▶**くるみ** 先生，大変なんです！！相談に乗ってください！！

▶**福島** どうしましたか？

▶**くるみ** ありがたいことに，最近仕事が増えてきたんです。

▶**福島** 良いことじゃないですか…あれ？ この会話，以前にも…。

▶**くるみ** 前回（前の章）とは別の話で，今年の売上が1,000万円を超えそうなんです。

▶**福島** 売上が増えるのは良いことですね。

▶**くるみ** のんきなこと言わないでください！ 売上が1,000万円を超えると，消費税がかかるじゃないですか。

▶**福島** そうですね。

▶**くるみ** わたし，これまで消費税を請求してこなかったんですけど，自腹で払わないといけないんですか！？

▶**福島** ああ，それなら問題ないですよ。

▶**くるみ** 本当ですか！？

▶**福島** 急に目をキラキラさせて，忙しい人ですね。今年はどれだけ売上が増えても，次の3月の申告で消費税を支払う必要はないですよ。

▶**くるみ** よかった〜。

　私はここで紹介したやりとりを，これまで何回も経験しています。「売上が1,000万円を超えたとき」と「消費税を納める

とき」の関係は，図にするとわかりやすくなります。

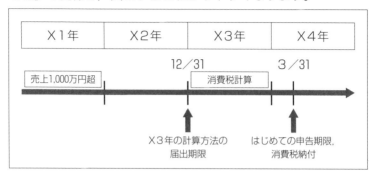

　今年をX1年とすると，X1年の売上が1,000万円を超えると，その2年後のX3年で消費税を計算して納める義務（消費税の納税義務）が発生します。そして，X3年の実績に基づいて確定申告を行い，X4年の3月31日までに消費税の申告書を提出して，消費税を支払います。

　納める金額はあくまでX3年の実績なので，売上が1,000万円を超えたX1年時点では，いくら納めることになるかはわかりません。極端なことをいえば，X3年の売上が0円だった場合，消費税を納めることはありません。

　念のためつけ加えておきますと，判定は「利益」ではなく「売上」です。したがって，X1年の売上が2,000万円あって，利益がゼロという場合でも，X3年に消費税の納税義務は発生します。

　また，消費税の納税義務の判定は，ここで話した要件以外にもいくつかありますが，小規模な個人事業主では滅多に当てはまることがないので，話をシンプルにするために省略します。

▶**くるみ**　1,000万円を超えた年と申告義務の発生する年がズレているんですか？

▶**福島**　そうしないと，さっきくるみさんが言ったような悩みを持つ人がいるからです。

▶**くるみ**　そうか！　1,000万円を超えたら，その次の年で準備して，さらに次の年で計算する，という流れなんですね？

▶**福島**　そのとおりです。

▶**くるみ**　申告期限が3月31日ということは，普段の確定申告（所得税の確定申告）より半月遅いのですね。

▶**福島**　実際は，所得税と消費税の計算はセットで行いますので，3月15日までに所得税と同時に消費税の申告書も提出することが大半です。

納める消費税はどうやって計算する?

▶**くるみ**　ところで先生，消費税を納めるといいますが，お客様から受け取った消費税をそのまま支払えばいいのですか?

▶**福島**　受け取った消費税をそのまま支払った事例は，私は見たことがないですね。

▶**くるみ**　そうなんですか！?

▶**福島**　実際は，受け取った金額より納める金額のほうが少ない，と思ってもらって大丈夫です。

▶**くるみ**　やった！！　じゃあ差額は自分のものですね！！

▶**福島**　まあ，そう考えてもよいですけど，実際は，自分も様々なものの支払時に消費税を支払ってますよね。その分少なく申告して納めるというイメージです。

▶**くるみ**　なるほど。

▶**福島**　納める消費税の計算方法は２つあるのですが，おおまかなイメージとしては**「受け取った消費税から支払った消費税を差し引いた金額」**です。図にすると次のようになります。

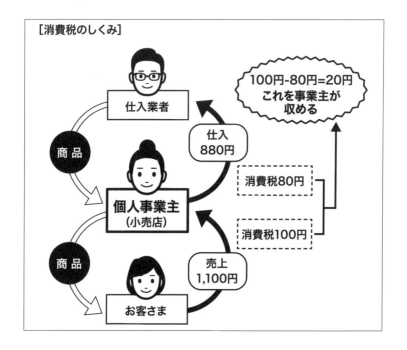

[消費税のしくみ]

仕入業者

100円-80円=20円
**これを事業主が
収める**

商品

仕入
880円

個人事業主
(小売店)

消費税80円

消費税100円

商品

売上
1,100円

お客さま

消費税の計算方法①　原則的な計算方法

▶**くるみ**　図で見るとシンプルですね。

▶**福島**　繰り返しになりますが，**受け取った消費税から支払っ
た消費税を差し引いた金額**となります。

▶**くるみ**　図では，商品の販売を例にしていますが，仕入以外
の経費でも消費税を引けるのですか？

▶**福島**　はい，消費税を支払っていればOKです。

▶**くるみ**　じゃあ，実質的には売上から経費を引いた金額です
ね？

▶**福島**　ところが，話はそう単純ではないのです。

▶**くるみ**　げっ。

シンプルにいかない理由①　消費税を支払っていない取引

　経費の中には，消費税を支払っていない取引もありますので，そこは区別しなければなりません。例えば次のようなものが挙げられます。

- ・社員への給与の支払
- ・税金（事業税，印紙税など）
- ・借入利息
- ・外国への支払

シンプルにいかない理由②　軽減税率

　飲食物を販売している場合，売上時に受け取る消費税が８％となります。同様に，経費でも，飲食物を購入した場合（定期購読の新聞の購読料も）消費税は８％となります。

▶**くるみ**　私のような食料品を売らないフリーランスだったら，軽減税率は関係ないですね。
▶**福島**　そうとも限りませんよ。
▶**くるみ**　え？
▶**福島**　ここにあるお菓子。この購入時に支払った消費税は何％ですか？
▶**くるみ**　あ，８％ですね。
▶**福島**　差入れやお土産，会議用に飲食物を買うことは，誰でもあり得ますよね。

▶**くるみ**　そうか，私が計算するときも８％と10％があるのですね。

▶**福島**　だから消費税は注意が必要です。

▶**くるみ**　ちょっと待ってください。さっきの消費税を支払っていない取引も，この軽減税率も，それぞれの取引ごとに消費税率が決まるんですよね。

▶**福島**　そうですよ。

▶**くるみ**　ということは，会計ソフトで１つずつ入力するたびに，消費税率も入力するんですか？

▶**福島**　そうなりますね。

▶**くるみ**　めんどくさーーーい！！！

▶**福島**　面倒ですよね。そんなアナタの強い味方があります！次に紹介する，簡易課税という方法です。

▶**くるみ**　なんだか通販番組みたい。

消費税の計算方法②　簡易課税

▶**福島**　簡易課税は売上の方しか見ません。

▶**くるみ**　どういうことですか？

▶**福島**　具体例で見ていきましょう。

【具体例　フリーランスのライターの場合】
売上　2200万円（消費税10％，200万円込）

この場合の支払った消費税は次のように計算します。
200万円×50％＝100万円

▶**くるみ**　え？　なんですかこれ？　50％って？

▶**福島**　支払った消費税は，受け取った消費税をベースに，一定の割合をかけて計算しているのです。

▶**くるみ**　個別の支払は一切無視しているのですね？

▶**福島**　はい。受け取った消費税に機械的に割合をかけたらおしまいです。

▶**くるみ**　その割合はどうやって決めるのですか？

▶**福島**　業種によって決まっています。代表的な例を挙げますね。

```
・卸売業　90％
・小売業　80％
・製造業　70％
・飲食店業　60％
・サービス業　50％
・不動産業　40％
```

▶**くるみ**　ライターはサービス業だから50％なのですね。

▶**福島**　はい。この割合のことを「みなし仕入率」といいます。それぞれの業種の割合を知りたい場合は，みなし仕入率を調べればOKです。

▶**くるみ**　これならカンタン！　私でもできる！　簡易課税バンザイ！！

▶**福島**　ところが，この簡易課税にも注意点があります。

▶**くるみ**　そうなんですか…。世の中甘くないんですね。

▶**福島**　この後は，簡易課税の注意点を含めて，計算方法の選択に関する話になります。

書類1枚で税額が10万円変わる？

▶**くるみ**　計算方法が2つあることまではわかりましたが，これって，申告するときにどちらでも選べるのですか？

▶**福島**　もし選べたら，どうしますか？

▶**くるみ**　計算の手間をいったん差し置くなら，税金が安くなる方を選びますよね。

▶**福島**　ですよね。でも，そんなうまい話，あると思いますか？

▶**くるみ**　……。

▶**福島**　では，141ページの図をもう一度見てみましょう。

▶**くるみ**　あれ？　さっきは気づかなかったけど，X2年の12月31日のところに，さり気なく「X3年の計算方法の提出期限」って書いてある。

▶**福島**　そうです。

▶**くるみ**　ということは…。

▶**福島**　ということは？

▶**くるみ**　X3年が始まる前に，X3年の計算方法を決めないといけない！？

▶**福島**　その通り！

▶**くるみ**　はぁ…。世の中甘くないですね。

▶**福島**　本来，簡易課税というのは，計算が大変な人のために計算をシンプルにするための方法なのですが，実際は有利不利をシミュレーションして選択しているケースが多いですね。

148

▶**くるみ** そうなりますよね。

▶**福島** 具体例で見てみましょう。

【**具体例　サービス業の場合**】

X3年の売上・経費は下記の通りと見込まれる。

売　　　上　2200万円（すべて消費税10％（200万円）
　　　　　　　を受取した）

実際の経費　880万円（すべて消費税10％（80万円）を
　　　　　　　支払った）

① **原則的な計算**

受け取った消費税　200万円

支払った消費税　80万円

差引　200−80＝120万円

② **簡易課税を選択した場合**

受け取った消費税　200万円

支払った（とみなす）消費税　200万円×50％＝100万円

差引　200−100＝100万円

▶**福島** この例だったら，どちらを選びますか？

▶**くるみ** 簡易課税を選びますね。

▶**福島** そうですね。この場合は，X3年の予測をしています
ので，X2年のうちに簡易課税を選択する届出を提出する必要
があります。

▶**くるみ** この届出をうっかり忘れたらどうなりますか？

▶**福島** 原則を選んだことになります。実は「原則を選択す

る」という届出はそもそも存在しないので，簡易課税を選択する場合だけ届出書を提出することになります（正式名称は消費税簡易課税制度選択届出書）。

▶**くるみ** この例の通りになったら，書類1枚出し忘れただけで20万円税金が変わるんですか…。

▶**福島** そうです。消費税は，書類1枚で数十万円変わることがあるので注意が必要です。

　このように，予測に基づいて計算方法を選択する方法は有効です。しかし，予測がどこまで正確にできるか，という問題があります。仮に上記の予測をした後，Ｘ3年で330万円の車（100％事業で使用）を購入すれば，30万円の消費税を差し引きできるため，原則での消費税が120万円－30万円＝90万円となり，原則のほうが有利となります。また，原則課税は差引の方法をとっているため，経費の割合が多いときや，高額な資産を購入した場合などマイナスになったときは還付されます。一方，簡易課税は受取った消費税の何％かを差し引く方法なので，必ずプラスになります。

　その他，簡易課税には次の注意点があります。

① 簡易課税は，小規模な事業者だけの制度です。そのため，141ページの図でのＸ１年の売上が5000万円を超えた場合，そもそも簡易課税を選択できません。簡易課税の選択届を提出していても，原則で申告します。

② 一度簡易課税を選んだら，２年間は必ず簡易課税を選択します。141ページの図の場合，Ｘ３年を簡易課税にしたら，Ｘ４年も必ず簡易課税になります。したがって，Ｘ３年とＸ４年の見通しを考慮して簡易課税を選択する必要があります。

8％と10％が混ざったレシートは
別々に集計します

　消費税で原則の計算方法を選ぶと，経費の消費税を集計する必要が出てきます。このとき，会計ソフトの入力（仕訳）が複雑になります。ここから舞台を税理士事務所に移して，具体的な事例を紹介します。

　初心者には難しい内容になっていますが，「消費税の計算がはじまると，こういうことが必要になる」くらいの認識でも大丈夫です。

▶**ルル**　あぁ，この領収書…。
▶**ソウマ**　どんな領収書？

20XX年10月28日

領　収　書

_____ 様

_____ ¥469　（内消費税　¥35）

但し，_____ 代として
上記の金額正に領収いたしました。

Needs 北見町店
082-2× × -4567

▶**ソウマ**　あー，やっちゃったね。これ，大道芸人の清野さん？
▶**福島**　おお，清野さんの入力をはじめたのか。あの人のパフォーマンスはホントすごいんだよね〜。

▶ルル　そんなにすごいんですか？

▶福島　このあいだはディアボロをやってたよ。

▶ソウマ　それはそうと…。このレシート，二重のひっかけ問題だね。

▶ルル　中身がわからないだけじゃなくて？

▶ソウマ　そう。

▶ルル　え，何が！？　わかんない。

▶ソウマ　8÷108を計算してみてよ。

▶ルル　うん，469÷108×8，と。四捨五入で35円，あれ？このレシートの消費税額と一致する。ってことは…。

▶ソウマ　この買物，軽減税率が適用される飲食物を買ってるんだ！

▶ルル　ええええ！？　こんなの気づかないよ！

▶福島　困ったもんだね。これまでも，レシートの出るお店で領収書をわざわざ発行してもらうと，何を買ったかわかりづらいという問題はあったけど，これからは，消費税率にも響くんだから…。

▶ソウマ　本来は，領収書に8％と10％の消費税率を書かなければならないのですが，このような領収書が来たら，お手上げですね。

▶ルル　レシートなら中身が具体的に書いてあるからまだどうにかなるけど，内訳のない領収書はお手上げよね。

▶福島　レシートの用紙で印字されていると，なんとなくしっかりしてそうに見えるけど，こういうケースもあるから要注意だね。

▶ ﾙﾙ　こういうレシートの入力も面倒になりましたね。

▶ ｿｳﾏ　確かに。今までなら，おみやげだから交際費のみの仕訳だったのに。

▶ ﾙﾙ　だからって，「お土産は食べ物だけにして！」って言えないしね。

福島　仕訳はこうなりますね。

(借)交　際　費	1,080	
（消費税８％軽減）		
交　際　費	1,100	
（消費税10％）		
(貸)現　金	2,180	

```
おみやげストリート

    広島店  082-234-50××

～～～～～～～～～～～～～～

  2  もみじまんじゅう      500
合計(2点)              1,000※

  1  新幹線カレンダー      1,000
合計(1点)              1,000

総合計                 2,180
(消費税10％対象         1,000)
(消費税8％対象          1,000)
 (消費税  10％          100)
 (消費税  8％            80)
  現金                 2,200
 お釣り                   20

※は軽減税率(8％)対象商品です
 20XX/10/31  19：30
```

▶ ﾙﾙ　レシートに1,080円，1,100円という表示がないから，地味に面倒！

▶ ｿｳﾏ　軽減税率で仕事は軽減どころか増えてしまいましたよ。働き方改革とはなんだったんでしょう。

▶福島　そうだなぁ…。

▶ ﾙﾙ　ああ，もう軽減税率なんてやだやだやだ！

▶福島　軽減税率の登場で，何気ない入力が急に難しくなりましたね。

▶ ﾙﾙ　そうですよ…。

▶ ｿｳﾏ　飲食品を売らなければ関係ないと思っていたら，こんな場面があるとは，軽減税率がはじまるまで気づきませんでした。

インボイス制度で領収書は
どのように変わる？

▶ ルル　♪ホワイトモカおいしい〜。

▶ ソウマ　相変わらず，好きだね。

▶ ルル　でもカロリーが高すぎるから，あんまり飲むと太るんだよね。

▶ ソウマ　らしいね。でも持ち帰りなら，消費税が（軽減税率で）8％だから，お財布にはやさしいね。

▶ ルル　そうそう。だから，お店で飲むより断然持ち帰り！

▶ ソウマ　お店のテーブルで飲んだら10％。この違いが地味に気になる人，多いだろうな〜。

▶ 福島　そうだね。税率が2つになったことと同時に，領収書の要件も変更になりましたね。

▶ ソウマ　インボイス制度ですね。

▶ 福島　インボイス制度には大きく2つのテーマがあります。

▶ ルル　え？　2つですか？

▶ 福島　1つ目は，2019年10月からスタートした，領収書の要件の変更です（2つ目は次の項で説明します）。

▶ ソウマ　特に消費税を原則課税で申告する人に影響してきますね。

▶ ルル　そうそう。例えばこういう領収書，今まで以上にまずいですよね。

領　収　書

_____ 御中　　No.

発行日

金額	￥3,000

但

上記正に領収いたしました。

印収
紙入

内　訳　_____
税抜金額　_____
消費税等　_____

▶**福島**　料理教室を主宰している高瀬さんだね。

▶**ルル**　こだわりの野菜を仕入れてくるのはいいけど，農家の方があまり会計とか詳しくないから，「とりあえず書いた」感満載の領収書が送られてくるんですよね。

▶**ソウマ**　実際，この領収書，どうしたらいいんですか？

▶**福島**　足りない部分を書き足すしかないです。今回のものだったら，こんな感じですね。

領　収　書

③支払者の名前
高瀬クッキングスクール　御中　　No.

②日付
発行日　　2019年10月20日

④金額（軽減税率対象と対象外を区分）

金額	￥3,000

但

上記正に領収いたしました。

⑤軽減税率対象のものがある旨
※すべて軽減税率対象

印収
紙入

内　訳　_____
税抜金額　_____
消費税等　_____

①取引相手の名前
○○　○○（相手の名前）

▶**ソウマ**　これまでから少し項目が増えていますね。

▶**福島**　①から③までは，今までも必要とされていた事項です。

▶**ルル**　これを書かないと，支払った消費税分の減額ができないってものですね。

▶**福島**　その通り。ここに軽減税率が入ったことによって，軽減税率の対象になるものと対象外であるものについて，区分しなければならなくなりました。

▶**ソウマ**　だから「**区分記載請求書等保存方式**」と呼ばれるのですね。

▶**福島**　そう。私もこの改正を知ってからしばらくはこの名前が覚えられなかったんだけど。

▶**ルル**　あたしはまだ覚えられません！

▶**ソウマ**　自信もって言うなよ。

▶**福島**　要は，「**8％**（軽減税率）と**10％**（標準税率）を，**区分して記載**された，**請求書等を保存する方式**」で消費税の仕入税額控除を計算しますよ，ということです。

▶**ルル**　今見ている領収書は，軽減税率だけの領収書ですよね。

▶**福島**　だから，単に「すべて軽減税率対象」と書いてあればよいのです。厳密には税込の金額が書いてある，というのが要件です。

▶**ソウマ**　もし8％と10％が混ざっていたらどうするんですか？

▶**福島**　内訳をきちんと書いて，①どれが8％でどれが10％かを分かるようにして，②8％と10％それぞれの税込合計額の記載が必要となります。

▶**ルル**　確かに区分記載請求書等保存方式ですね。

区分記載請求書等保存方式は請求書を発行するときにも影響する

▶**ソウマ**　これって，事業主が請求書を発行するときも，同じように8％と10%を区分して記載するってことですよね？

▶**福島**　そうです。特に食料品とそれ以外のものを同時に販売するケースは注意が必要です。

▶**ルル**　じゃあ，食料品（注：週2回以上発行の定期購読の新聞も軽減税率の対象となるが，以下略）がまったく出てこない業種の場合はどうなりますか？

▶**福島**　10%であることがわかればよいです。例えば，これまで（税込での）合計金額を書く欄を「合計」と書いていたなら，ここを「合計（10%課税対象）」などと書けば，それで大丈夫です。

▶**ソウマ**　食料品を販売しない事業者が発行する請求書については，大きな変更はないのですね。

▶**福島**　そうですね。「軽減税率の対象になっている部分を明らかにする」ことの方が中心ですので。

インボイス制度でフリーランスの収入が減る？

　前回は，インボイス制度で領収書や請求書に記載する内容が変わる，ということを話しました。さらに，インボイス制度によって，今後もう１つの大きな変化があります。

　フリーランスのくるみが，周りから聞いた噂の真相を福島先生に確かめに来ました。

▶**くるみ**　最近，私の周りの人たちが「インボイスがヤバい」っていい始めてるんです。

▶**福島**　場合によっては大きなダメージを受ける可能性がありますからね。

▶**くるみ**　え！？　じゃあ本当に大変なことになり得るんですか？　「そんなの都市伝説ですよ」って言われると思ってたのに…。

▶**福島**　そんなに演技がかった表情とセリフでいわなくても。

▶**くるみ**　大丈夫。文字では伝わらないから！

▶**福島**　……現在の消費税制度の問題点から話しましょうか。

　〔図１〕に消費税の仕組みをまとめました。消費税を本当に負担するのは最終的な消費者です。今回の場合，1,000円の商品に対して100円の消費税を負担します。しかし，この100円はダイレクトに国などへ納税されるわけではありません。小売店や卸売店などがそれぞれ分担して支払っています。こうする

ことで，多くの関係者が少しずつ納める仕組みとなっています。

　仮にメーカーが消費税の納税義務者ではないとしましょう。この場合でも材料を440円で仕入をして770円で販売することは可能です。しかし，本来はメーカーが行うはずの30円の納税が消えてなくなってしまいます。結果として，国などの立場では30円分の税収が減ってしまいます。

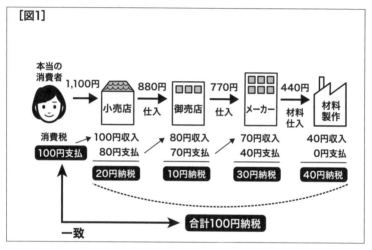

▶**福島**　メーカーが納税義務者でないときの矛盾に気づきましたか？

▶**くるみ**　メーカーが卸売店に売るときに，消費税70円を請求して受け取っている（卸売店が70円の消費税を支払っている）ことですか？

▶**福島**　そのとおり！　卸売店側では，70円支払った「ことになり」，納める税金は減ります。しかし，メーカーが受け取った70円は消費税の計算の対象とならず，ただの売上となっています。

▶**くるみ**　消費税が消えてなくなるのですね。

▶**福島**　そこで，インボイス制度を導入して，〔図2〕のように変わります（インボイス制度導入のスケジュールは後述）。

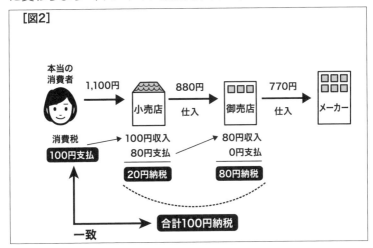

[図2]

▶**くるみ**　これで，消費者が払った消費税がきちんと国などへ届くのですね。

▶**福島**　そうです。だから，消費税が本来の仕組み通りに動くという意味では，これはよいことなのです。

▶**くるみ**　ですね。一見，ハッピーエンドに見えますが…。

▶**福島**　では，卸売店とメーカーを，出版社とライターに置き換えたら，どうなりますか？（〔図3〕）

▶**くるみ**　出版社側は，ライターに支払っていた消費税を国などへの納税にまわすから，プラスマイナスゼロですね。

▶**福島**　そうです。一方，ライター側はどうでしょう。

▶**くるみ**　消費税分を請求しなくなるから…。あれ？　収入が減ってる！！

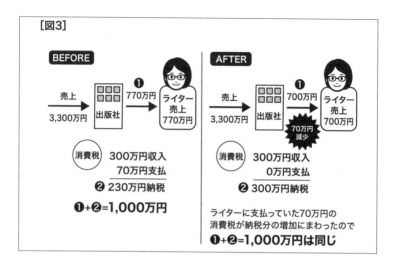

[図3]

このように，消費税本来通りの考えで動くと，ライター側の収入が減ることとなります。本来請求できないはずの消費税を請求できていたので，仕方ないといってしまえばそれまでなのですが…。

今後このようなケースに対して，この例で言うところの出版社側は次のいずれかを選ぶことと予想されます。

① ライター側に消費税の課税事業者となるように頼む（出版社は〔図3〕BEFOREの動きをする）。
② 〔図3〕AFTERのように，消費税分の支払を取りやめる（出版社側のお金の収支は変わらず）。
③ ライターに従来通りの支払を行う（出版社側が消費税分（70万円）の支払増加となる）。
④ 免税事業者との取引をやめる（取引先の選定）。

▶**くるみ**　③を選んでくれたらうれしいですね！

▶**福島**　まあ，そうですけど…。

▶**くるみ**　①を選んだら，ライター側はどうなりますか？

▶**福島**　収入は同じですが，消費税としての収入になるので，基本的には納税ですね。

▶**くるみ**　では，②と同じように実質70万円の収入減少となるのですか？

▶**福島**　この70万円はライター側が経費で支払う消費税に充てられますし，簡易課税をうまく使えば，ある程度は手元に残る可能性もありますね。

▶**くるみ**　じゃあ，ライター側のお得度としては，③＞①＞②＞④ですか？

▶**福島**　そうなりますね。

いつまでにどのような対策をすればよい？

　ここでインボイス制度のスケジュールをお伝えします。あわせて正式名称も紹介しておきます。

2021年10月1日	消費税を受け取れる事業者（適格請求書発行事業者）としての登録（登録申請書）受付開始
2023年3月31日	登録申請書の受付締切（特別な事情がある場合は，9月30日まで締切が伸びる）
2023年10月1日	インボイス制度（適格請求書等保存方式）スタート

なお，個人事業者を前提とした場合，これ以降は毎年11月末までに登録申請書を提出すると，翌年1月から適格請求書発行事業者となれます。

　この期間を長いとみるか短いとみるかは人それぞれかと思いますが，事実として，改正が行われること自体は決定しています（今後の政治次第で変わる可能性はありますが）。

　では，来るインボイス制度に向けて，今回の例のライターのような立場の人はどうしたらよいでしょうか？　考えられる方法（実現可能性は差し置いて）は次の通りです。

①　現在は消費税分を請求しておいて，今からその部分はないものと考えて貯金する。インボイス制度が始まったら，請求をやめる。

②　10％の値上げをする（今から10％分の価値を高め，伝わる仕組みを作る）。

③　売上1,000万円を超えるようにする（インボイス制度にかかわらず，消費税の課税事業者となる）。

④　単純に収入が減ることを受け入れて，生活費を減らす。

⑤　事業をやめる（勤務になる）。

▶くるみ　どれを選んでも大変ですね。

▶福島　正直，私もそう思います。しかし，事実として決まった以上，今からいずれかの対策を練るしかないのが現実です。

▶くるみ　はぁ…。始まってから慌てるよりは，今から考えられるだけいいと考えて進んでいくしかないですね。

▶福島　そうですね。これを期に経営をきちんと考えるのもよいかと思います。

第9章

法人化した方がよいのは
どんなとき？

印収 紙入	内　　　訳	
	税抜金額	
	消費税等	

　　ある程度事業が軌道に乗ってくると，税金や国民
健康保険の負担が重いと感じるタイミングがやって
きます。「法人を作って負担を減らしたい」という
相談が多いのですが…。

▶くるみ　先生，自営業って大変ですね。

▶福島　どうしましたか？

▶くるみ　ありがたいことに，売上も利益も増えているんです。

▶福島　良いことじゃないですか。

▶くるみ　でも，利益が増えると税金も健康保険料も増えますよね。

▶福島　増えますよ。

▶くるみ　法人を作ったら税金が安くなるって聞いたんですけど，本当ですか！！

▶福島　一概にはいえません。

▶くるみ　じゃあ，健康保険料，どうにかなりませんか？　来年の請求が100万くらいと知ってショックなんですよ。

▶福島　ちょっと待って。改めて確認ですが，法人を作る目的は，税金や社会保険料を安くすることだけですか？

▶くるみ　そうですね。手元にお金を多く残したいというのが目的です。

▶福島　では，ちょっと計算してみましょうか？

▶くるみ　はい！お願いします！！

　仮に利益700万円（青色申告特別控除前），所得控除200万円とした場合，翌年の税金が約108万円になります。一方，法人化して，役員報酬700万円を給与としてもらった場合，税金

は約60万円になります。

▶**くるみ**　やったー！　じゃあ法人化した方がいいですね！

▶**福島**　（真剣な顔つきで低い声で）本当ですか？

▶**くるみ**　なんですか，急に演技がかった言い方をして。だって，40万円以上も税金安くなるなら，法人化した方がいいじゃないですか。

▶**福島**　この話には続きがあるんです。聞きたいですか？

▶**くるみ**　もったいぶりますね〜。

▶**福島**　本当に言ってもいいんですか？

▶**くるみ**　お願いします。

▶**福島**　では，次の表を見てみましょう。

〈個人事業〉		〈法人化した場合〉	
事業所得700万円，所得控除200万円とした場合の概算		社長の報酬・社会保険を考慮しない時点での利益を700万円，社長の報酬を600万円とした場合	
（単位：万円）			
所得税	45	法人税・法人住民税・法人事業税	9
住民税	43	**会社負担の社会保険料**	**90**
事業税	20	法人としての負担小計	99
税金小計	108		
		所得税	14
国民健康保険	90	住民税	24
国民年金	19	**個人負担の社会保険料**	**90**
社会保険小計	109	個人としての負担小計	128
合計	217	合計	227

※年齢は40～64歳とした。
※国民健康保険は広島市の概算

※2020年9月現在の広島県の社会保険料で計算（協会けんぽ）
※均等割は7万円とした。

▶**くるみ**　え！？　それほど変わらない…。そ，そんな…。

▶**福島**　法人になると，会社から給与をもらう形になります。一般に会社員の社会保険料は会社と本人が半分ずつ支払うといわれていますよね。

▶**くるみ**　はい。

▶**福島**　でも自分で会社を作ったら，会社側（支払う側）・本

人側（もらう側），どちらも自分ですよね。

▶**くるみ**　そうですね…。あっ！

▶**福島**　そうです。どちらも自分ということは，会社員時代と考えたら単純に支払が2倍になるのです。

▶**くるみ**　キャーーーー！！（急にテンションを落として）もう私の負けでいいから，今すぐ楽にして…。

▶**福島**　法人化して税金の支払を減らすのって，意外とハードルが高いでしょ？

▶**くるみ**　じゃあ，法人化ってどういう人がするんですか？

▶**福島**　そうですね，少し長くなりますが，お話していきますね。

法人をつくる理由

▶**福島**　まず，法人化をする理由は何か，というところからはじまります。

▶**くるみ**　色々な理由がありますか？

▶**福島**　私がこれまで聞いてきた理由は，大体次の３種類に集約されます。

①　取引先の都合

　法人格を持たないと取引が成立しないなど，具体的な問題がある場合には，法人を作る必要があります。

　ここで注意が必要なのが，問題の深刻さの具合です。非常に大きな問題があるなら早急に手続きを進める必要があります。一方，「将来的に，法人格を持っている方が取引が有利になる可能性がある」という程度の状況なら，今すぐ法人化をする必要はない，という結論もあり得ます。

②　税金などの支払金額を減らしたい

　法人化の相談を受けていて，最も多い理由がこれです。この場合は具体的な数字を見て検討することから始めます。よくあるケースは，税金だけを見て社会保険料の支払金額を見逃しているケースです。また，最近では税金というより社会保険料の支払金額を減らしたい，という理由で法人化を希望するケースも増えています。

いずれにしても，この章の冒頭のように，税金と社会保険料を合わせて検討して，大きなメリットがないとわかって即座に法人化を中止するということはよくあります。現時点でメリットがないのであれば，「今ではない」という決断を早く行うことも大事です。

ちなみに，私が個人的に法人化にメリットがあると考える利益は，個人事業での利益が年間1,200万前後です。このあたりまできたら（見込めたら），詳細な検討をする価値のある段階といえます。

実際はこれより低い利益でも法人化した方が支出は少なくなるケースがありますが，同じ利益が安定して出る可能性や，利益がズレた場合における支払金額の変化を考慮すると，安易な法人化はリスキーであると考えています。

③ 気持ちの面

「法人を作って社長になりたい」，「成長を実感するために，法人という形にしたい」，「これから発展していくために法人にしておきたい」といった，本人の気持ちの面で法人化を検討する場合もあります。また，気持ちというものを広めに解釈すると，「求人を出したときに個人事業より法人（株式会社）の方が応募してくる人が多そう」というように，未来の社員の気持ちも含めることもできます。

実は気持ちの面で法人化を希望している場合も，数字の検討が重要です。いくら法人を作りたいという気持ちがあっても，支払が大幅に増えるとわかれば，「そこまで支払が増えるのはちょっと…」というように，中止した方がよい，という結論になることもあり得るからです。

また，法人設立手続や設立後の変化を伝えることで中止とする人もいます。例えば，法人を設立すると自分（社長）の役員報酬を年度のはじめに設定する必要が生じ，正確な事業計画や予想が必要となることに抵抗を感じて中止とした人がいました。
　逆に，金銭的な負担がほぼ変わらないことがわかって，「それなら法人化する」と決断するケースもあります。

▶くるみ　なるほど，言われてみると「そうか」って思えますね。
▶福島　この3つの分類は，私の経験則でまとめています。
▶くるみ　私みたいに，社会保険料を減らしたい！！　って相談して，30分くらいであきらめることも多いのですね。
▶福島　そうですね。特に，以前は利益が数百万円でも法人化が有利になることがあったので，その頃の経験談を聞いて，そのまま実行しようと思う人は注意が必要です。
▶くるみ　そうか…。ところで，もし「法人化をしよう！」となった場合，どんな世界が待っているんですか？
▶福島　では，私の事務所での相談例を紹介しましょう。

法人化の実践例

　私は個人事業者をメインに対応している税理士ということもあり，年に数件は法人化の相談を受けています。すでにお客様となっている顧問先からの相談もあれば，まったく新規での相談もあります。ここでは，実際のイメージが伝わるように，全体的な流れを紹介します。

(1)　クライアントからの相談依頼

　今回の相談者，岡村さん（仮名）は下記のような人です。

> ・すでに事務所のお客様になっている税務顧問先
> ・個人事業主として開業4年目
> ・これまで1人で事業を行っていた
> ・年間の利益1,000万円程度
> ・業種はコンサルティング業及びコンサルティングでの開業方法の実践指導

　「法人化したいが，どう思いますか？」というメールが届いたため，一度詳しく話す機会を設けることとして，アポイントをとりました。

(2)　法人化の相談

　岡村さんに来所していただき，状況を聞きます。

▶**福島**　岡村さんが，法人化したい理由は何ですか？

▶**岡村**　大きく２つ考えています。１つは，税金や社会保険料の支払を少なくしたい，もう１つは，対外的な信頼度を高めたい，ということです。

▶**福島**　なるほど。では，岡村さんの中ではどちらの理由の方が強いですか？

▶**岡村**　うーん，どちらというより，同じくらいです。

▶**福島**　では，もう少し掘り下げますね。「対外的な信用度」といいましたが，具体的なイメージはありますか？

▶**岡村**　以前，私のクライアントのＢさんが，知り合いの法人Ｘ社で私のコンサルを推薦してくれたんです。

▶**福島**　推薦されるくらいの信頼があるのはよいことですね。

▶**岡村**　ありがとうございます！　でも，Ｘ社では，コンサルタントなどの仕事を頼む場合，法人に対してでないと社内での決裁がおりないということで，Ｘ社との契約は実現しませんでした。

▶**福島**　それは残念でしたね…。

▶**岡村**　Ｘ社の担当の方には好感触だったんですけど…。今後，こういう話が出てくることもあるでしょうし，ある程度の規模の会社へも仕事の幅を広げていきたいので，このあたりで法人化するのもいいかなって思ったんです。

▶**福島**　そうですね。仕事の幅を広げるための法人化はよいことだと思います。では，もう１つの理由，税金や社会保険がどうなるかを見ていきましょう。

① 支払う税金や社会保険料のシミュレーション

▶**福島**　法人を設立することで，税金や社会保険料がどのよう

に変化するかを具体的に見ていきましょう。

▶**岡村**　はい。

▶**福島**　前回の確定申告の数字で計算した結果を用意してあります。

▶**岡村**　ありがとうございます！

▶**福島**　仮に同じ期間が法人だとしたら，税金や社会保険料がどのように変化するか，という計算をしました。

▶**岡村**　はい。（数字を見て）支払う金額の合計は大きな違いがないですね。

▶**福島**　岡村さんの場合，合計での違いは少ないです。ただし，法人になると税金や社会保険料を支払うタイミングと金額の流れが大幅に変わります。

② メリット・デメリットの説明

▶**岡村**　支払金額については現状維持でわかりました。それ以外のメリット・デメリットはどんなものがありますか。

▶**福島**　よくあるものは，次のとおりです。

〈主なメリット〉
・　対外的な信用度が上がる。
・　同居の家族への給与や外注費について経費にするハードルが下がる。
・　経営者への出張の日当が支払える。

〈主なデメリット〉
・　役員報酬を固定で設定する義務がある（原則として年1回しか変更できない）。
・　利益が減少して設定した給与が払えなくても、支払ったものとして、個人の税金や法人での社会保険料の支払がある。
・　赤字でも法人住民税がかかる（一般に年間7万円程度）。
・　事業とプライベートの支払の区別を、個人事業主以上に明確にする必要がある。

▶**岡村**　私の場合，自分1人での事業なので，特に影響が大きそうなのは，役員報酬の部分ですね。

▶**福島**　はい，個人事業の場合は，最終的な利益が自分のもの，とシンプルでしたが，法人になると，あらかじめ自分の報酬（給与）を決めておく必要が出てきます。

③ 具体的な手続きについて

▶**岡村**　具体的な手続きはどのようなものがありますか？

▶**福島**　一番大きい手続きは，法務局への登記です（詳細はこのあと⑶にて）。

▶**岡村**　うわ，法務局とかめっちゃ敷居が高そう！

▶**福島**　自分で手続きを行うのが大変だと思ったら，専門家に手伝ってもらう方法もあります。

▶**岡村**　その他には何がありますか？

▶**福島**　法人名義の口座やクレジットカードの作成，社会保険への加入などの手続き，税務署への届出が必要です。

④ 他士業との守備範囲の説明

▶**岡村**　社会保険の加入も自分でしないとダメですか？

▶**福島**　いえいえ，こちらも専門家に頼むことができます。

▶**岡村**　じゃあ先生に頼めばよいですね！

▶**福島**　社会保険の加入は，私には代行できないんですよ。

▶**岡村**　え〜。じゃあどうすればいいですか？

▶**福島**　社会保険とか登記は別の専門家がいます。岡村さんの知り合いで社会保険労務士とか司法書士はいらっしゃいますか？

▶**岡村**　いないですね〜。

▶**福島**　では，もし「法人化を実行しよう！」ということになって「自分で手続きを行うのがいやだな」ということでしたら，私が提携している社会保険労務士と司法書士を紹介しますね。

▶**岡村**　やった！　よろしくおねがいします！

⑤ 一通り説明を行ったうえでの意思確認

▶**福島**　ここまでの話をまとめると，税金などの支払金額が減るというメリットは少ないですが，事業の将来の発展に向けては前進していると，私は感じましたが，いかがでしょう？

▶**岡村**　そうですね。手続きとかの難しさはありそうですが，専門家が手伝ってくれるし，未来の事業拡大の大きな前進になるので，法人を作ります！

▶**福島**　おおっ，決断しましたね！

▶**岡村**　はい！

▶**福島**　では，社会保険労務士と司法書士に連絡しておきますね。後日それぞれ岡村さんに連絡が行きますので，それぞれ進

めてくださいね。

▶**岡村**　善は急げで早く進めようと思いますが，大体どれくらいかかりますか？

▶**福島**　すごく急いで最速でということでしたら，2〜3週間でもできますが，余裕を持つのであれば，1か月〜1か月半くらいといったところでしょうか。

▶**岡村**　早く進めるコツはありますか？

▶**福島**　本当は，法人設立登記に関する入門的な本を1冊読むのがよいですが，ここでは，入口の部分だけお話しますね。

▶**岡村**　はいっ！

▶**福島**　まず司法書士さんと話をするまでに，次のことを決めておくとよいですよ。

①**法人の名前**
②**事業内容**
③**事業年度**
④**資本金**

▶**岡村**　① **法人の名前**と ② **事業内容**はイメージしやすいですね。

▶**福島**　登記の書類に，事業内容を書く必要があります。すぐに行うことや数年後に行いたいことを書いておくとよいです。

▶**岡村**　③ **事業年度**ってなんですか？

▶**福島**　個人事業ですと，1月〜12月の周期で利益を計算して申告していましたよね。

▶**岡村**　はい。

▶**福島**　法人ですと，この計算の期間を自由に決められます。

▶**岡村**　自由に，と言われると困りますね。

▶**福島**　色々な考え方がありますが，法人が設立した月から12か月の周期にするケースが多いです。

▶**岡村**　④ **資本金**ってなんですか？

▶**福島**　法人がはじまったときに，法人が持っているお金です。

▶**岡村**　そのお金は私が用意するのですか？

▶**福島**　そうです。本来は株主が用意するのですが，今回は株主も岡村さん１人にして，自分で用意することになりますね。

▶**岡村**　いくら用意すればよいですか？

▶**福島**　このお金から初期費用や通常の経費を払っていきますので，法人ができてから売上が入るまでの期間に支払う金額くらいは必要です。最低１円からできますが，現実的には，仕入が不要なサービス業ですと，50～100万円くらい用意するケースが多いですね。

▶**岡村**　なるほど。

▶**福島**　その後の流れをザッとまとめると，次のようになります。

- 定款（会社の憲法ともいえる、基本事項を決めたもの）の作成
- 法人の印鑑の作成
- 公証人役場で定款認証をしてもらう（作った定款に問題がないか見てもらう）
- 法務局に書類提出

▶**福島**　設立の手続きは司法書士に頼むほうがカンタンですが，法務局などに通う時間と手間を惜しまないのであれば，法務局で教えてもらいながら登記をすることもできます。

▶**岡村**　自分で行う人も多いですか？

▶**福島**　具体的な比率は聞いたことがないですが，自分で行う人も一定数はいると思います。また，最近はクラウド式会計ソフトの会社などがサポートしているところもあります。

(4)　謄本を取得

▶**岡村**　登記が終わった後には何をするのですか？

▶**福島**　法人が設立されたら，履歴事項全部証明書（謄本と呼ばれることが多い）を司法書士さんから提供してもらいます。

▶**岡村**　じゃあ私は司法書士さんから謄本をもらえるのを待っていればよいですね？

▶**福島**　登記の書類を法務局に提出してから，1～3週間程度で謄本が取得できるようになります。最初は司法書士さんがサービスで取ってくれることが多いですが，自分で法務局で取得することもできます。

▶**岡村**　謄本って何に使うんですか？

▶**福島**　個人でいうところの本人確認書類です。法人の様々な手続きで必要になります。

(5)　その他の各種手続

▶**岡村**　謄本が手に入ったら，法人の銀行口座などが作れるのですか？

▶**福島**　そうです。ただし，銀行口座などを作る際には，税務署への開業届などが必要になるので，先に税務署への届出を行

うとよいですね。

▶**岡村**　税務署への提出書類は，先生が作ってくれますか？

▶**福島**　はい，ここは税理士の出番です。

▶**岡村**　その他の手続きはどんなものがありますか？

▶**福島**　法人の銀行口座開設，法人用クレジットカードの作成など，必ず自分で行う手続きがあります。法人としての事業が開始してからも数か月は，個人名義と法人名義の口座などが併用されることは，よくあることです。税理士に申告を依頼する場合は，両方の資料を提出すれば大丈夫です。

▶**岡村**　そういえば，社会保険の手続きはどのタイミングで行うのですか？

▶**福島**　こちらは，謄本が手に入ってからのタイミングですね。詳細は省略しますが，社会保険労務士さんと共同で行うか，自分で年金事務所へ行くことになります。

▶**福島**　というわけで，法人設立の事例を紹介しました。

▶**くるみ**　法人化って結構色々な準備が必要なのですね。

▶**福島**　そうですね。ちょっとやってみるか，というノリでは難しいですね。

▶**くるみ**　他にも，気をつけた方がよいことはありますか？

▶**福島**　消費税や助成金などを目当てとしての法人化は注意が必要ですね。

▶**くるみ**　どういうことですか？

▶**福島**　法人を作って2年間消費税の支払をなくしても，3年目からは元に戻りますし，助成金などで一時的にお金をもらっても，その後苦しくなるケースもあります。

▶**くるみ**　長い目で見て慎重な検討が必要，ということがわか

りました！

おわりに～確定申告の先にあるもの～

　フリーランスが悩むポイントを中心に書いてきましたが，いかがでしたでしょうか？　ご自身が気になっていたポイントは解決できたでしょうか？

　私はこれまで，フリーランスなどの個人事業者が相談しやすい場所を作ってきました。いわゆる教科書的な知識ではなく，実践で悩むポイントを，わかりやすく解説することに取り組んできました。さらに事務所のお客様については，面倒な確定申告を代行することを通じて，本業に専念できる環境や時間を整え，業績拡大するお手伝いをしてきました。

　悩みを解決して，申告書を作成代行してもらい本業に専念すること，それは大事なことなのですが，私はクライアントに次のこともお願いしています。確定申告をするためには利益を計算する必要がありますが，この利益の計算を，年１回ではなく年の途中でも定期的に行ってほしい，ということです。

　売上だけでなく利益まで年の途中に定期的に把握することで，未来の税金の予測をもとに税金対策をすることもできますし，融資を受けたければ利益の把握は必須です。経費を減らした方がよいのか，思い切った未来への投資をしてよいのかの判断基準もわかります。

　法人（中小企業）ではよく行われていることを，フリーランスなどの個人事業者も同じように行うことで，規模の大きな組織に負けず，個人で行っているがゆえのメリットを生かして輝いてほしいと思っています。

なお，ページの都合上，本書に収録できなかった質問などは，当事務所ホームページ（https://fukuoffice.co.jp/）内のブログやメルマガ，ツイッターで順次掲載していきます。興味のある方はぜひコチラもご覧ください。

　本書の執筆にあたり，多くの方にお世話になりました。本書のもとになった税経通信での連載企画から本書完成まで全般のサポートをしてくださった，株式会社税務経理協会の中村謙一氏，執筆の時間確保に協力してくれた当事務所（福島宏和税理士事務所）のスタッフ，生活全般をサポートしてくれた妻と子ども，そして内容のアイデアとなる質問をしてくださったメルマガなどの読者様や当事務所のお客様，本当にありがとうございました。

2021年2月　福島宏和

【著者プロフィール】

福島宏和（ふくしまひろかず）

確定申告専門税理士

福島宏和税理士事務所 所長／ふくオフィス合同会社 社長

　日本初, 個人事業主専門の確定申告代行サービスを提供（広島から全国対応）。1976年群馬県生まれ。2009年独立開業。累計申告数約1300件以上。

　「税理士は敷居が高い」「税理士は自分で帳簿記入できない人は相手にしない」といった先入観をなくしてもらうことをモットーに, 読者やお客様に分かりやすい説明と, 作業量を最小にできる工夫を行う。

　現在は確定申告だけでなく, フリーランスなどの資金繰り, 利益の計画管理, コーチングによる課題発見・解決を通じて本業に専念できる環境づくりに貢献している。

　著書「フリーランス・個人事業の絶対トクする! 経費と節税」（ダイヤモンド社）

著者との契約により検印省略

令和3年2月22日　初　版　発　行

これって経費になりますか？
個人事業者・フリーランスが
知っておきたい領収書の話

著　　者	福	島	宏	和
発 行 者	大	坪	克	行
印 刷 所	株式会社　技　秀　堂			
製 本 所	牧製本印刷株式会社			

発 行 所　東京都新宿区　　　　株式　税 務 経 理 協 会
　　　　　下落合2丁目5番13号　会社

郵便番号　161-0033　振替 00190-2-187408　　電話 (03) 3953-3301（編集代表）
　　　　　　　　　　　FAX (03) 3565-3391　　　　 (03) 3953-3325（営業代表）
　　　　　　　　　　　乱丁・落丁の場合はお取替えいたします。
　　　　　　　　　　　URL　http://www.zeikei.co.jp/

ISBN978－4－419－06760－1　C0034